Los ojos de Goya

DREW FORLANO

STORYOSO PRESS
WWW.STORYOSO.COM

Written by Drew Forlano
Illustrated by Lily Chan
Contributor: Cito Lozano Ballesteros

StoryOso Press
PO Box 17772
Richmond, VA 23226
www.storyoso.com
info@storyoso.com

A mi esposa, a mis hijas y a Cito,
miembro honorario de nuestra familia.

Índice

Nadie se conoce. El mundo es una farsa, caras, voces, disfraces; todo es mentira.

—Francisco José de Goya y Lucientes

Capítulo uno

EL TATUAJE

Montse miró el reloj. Eran las diez de la mañana y su clase iba a empezar en treinta minutos. Su profesor de historia del arte, el señor Figuero, era muy estricto y llegar tarde sería* mala idea. Muchos de los profesores de la Universidad de Sevilla eran muy rigurosos, pero el señor Figuero era el más estricto de todos.

Era un profesor muy formal, siempre se vestía con corbata y zapatos caros de cuero*. Decían que el señor Figuero era rico, algo poco usual para un profesor de historia del arte. También decían que estaba totalmente loco, algo quizás más común en el mundo del arte.

---

*sería - *would be*
*zapatos caros de cuero - *expensive leather shoes*

Los estudiantes tenían un apodo secreto para él. Le llamaban «El profe de las artes oscuras». Tenía un ojo de cristal de color marrón, pero un marrón más claro que su ojo natural. En clase, el ojo de cristal reflejaba las luces ultravioletas de su aula de manera extraña... casi como algo sobrenatural.

Decían que de joven, se sacó un ojo y se lo regaló a su novia. Era como una versión equivocada* de Vincent Van Gogh, regalando un ojo en vez de la oreja. Montse no creía lo del ojo y la novia, aunque era cierto que todos los universitarios le tenían miedo.

Montse solo tenía treinta minutos antes de comenzar la clase, pero hacía mucho calor y quería descansar un rato. Se sentó en un banco detrás de la catedral y empezó a mirar a la gente que pasaba por la calle.

Había muchos turistas en la plaza y una chica con el tatuaje de una serpiente en su brazo pasó por delante de ella. En ese momento, Montse empezó a pensar en su propio tatuaje. Se quitó el reloj y se miró el tatuaje de su muñeca.

Su tatuaje era como una de esas ilusiones ópticas en las que tienes que buscar algún dibujo escondido. Tenía una pequeña espiral y unas líneas negras. Si lo mirabas fijamente, podías ver algo muy extraño. Parecía* que la espiral tenía tres dimensiones, que salía del brazo por arriba y por debajo.

*una versión equivocada - *a wrong version*
*Parecía - *It looked like*

Se quitó el reloj y se miró el tatuaje en su muñeca.

Por la noche, la piel morena de Montse actuaba como camuflaje y resultaba difícil ver todas las líneas negras de su muñeca. Sin embargo*, bajo la luz de la luna llena, Montse podía ver algo incluso más extraño. Parecía que las pequeñas líneas de su tatuaje se movían, que tenían vida propia, como pequeñas serpientes que rodeaban* la espiral.

---

*Sin embargo - *However*
*rodeaban - *surrounded*

«Es solo una ilusión óptica», pensaba Montse, pero ella nunca estaba segura.

A Montse no le gustaba hablar del tatuaje con sus amigos. Todos los días, cuando iba a la universidad, lo escondía bajo el reloj. No quería mostrárselo* a nadie. No quería contestar las típicas preguntas sobre el significado de esas pequeñas curvas y esa espiral serpentina.

La madre de Montse le hizo el tatuaje en la muñeca cuando tenía solo un año. Montse no tenía recuerdos* del acto y su madre nunca se lo explicó. Unos años después su madre murió, y con ella también murió la esperanza de saber el significado del tatuaje.

Cuando era muy joven, Montse le preguntaba a su padre sobre el pequeño tatuaje en su muñeca.

—Papá —decía Montse—. ¿Qué significan estos símbolos de mi muñeca?

—Ay, ay, ay, Montserrat Sánchez Pérez —respondía su padre usando su nombre completo—. Es un misterio, cariño. Tu madre era una gran amante del arte y le encantaban los símbolos extraños. Ella siempre me decía que tu tatuaje es un talismán que te protege.

—¿Tú lo crees, Papá?

—¿Un talismán? No lo sé, Montse, pero todo es posible. Ella era una gran artista con ideas creativas. ¡Por eso la

*mostrárselo - *show it*
*recuerdos - *memories*

quería tanto! Es su amor lo que te protege, cariño. El amor de tu madre, al igual que el tatuaje en tu muñeca, siempre estará contigo.

Entonces, el padre de la pequeña Montse le daba un beso en la cabeza y la mandaba a la cama para acostarse.

Después de muchos años de hacer la misma pregunta y recibir la misma respuesta de su padre, Montse dejó de preguntar* sobre el significado del tatuaje. Estaba siempre allí, en su muñeca, pero por lo menos* podía esconderlo debajo del reloj.

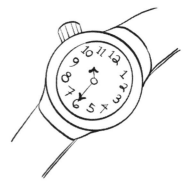

Los pensamientos de Montse volvieron al día de hoy. Se puso* el reloj y escondió el tatuaje otra vez. Miró el reloj para ver la hora. ¡Eran las diez y media!

¡Montse iba a llegar tarde a la clase del señor Figuero, el profesor más estricto de la facultad! Saltó del banco y empezó a correr a la universidad. ¡Con suerte, podría sobrevivir!

*dejó de preguntar - *She stopped asking*
*por lo menos - *at least*
*Se puso - *She put on*

Capítulo dos

EL ESPEJO DEL ALMA

Montse corrió hacia* la universidad que estaba en el centro de Sevilla, a diez minutos de la catedral. No había tiempo para poder llegar a las diez y media. Iba a llegar tarde. ¿Qué le haría el señor Figuero?

Corrió por las calles estrechas de Santa Cruz y finalmente llegó a la avenida grande, en frente de la universidad. Montse podía ver la entrada al otro lado de la avenida.

La Universidad de Sevilla estaba en el antiguo edificio* de la industria tabacalera del siglo XVIII, la Real Fábrica de Tabacos de Sevilla. El edificio parecía una fortaleza con unos

*hacia - *toward*
*edificio - *building*

muros enormes y torres de guardia. Ahora, servía como el edificio central de la Universidad de Sevilla.

Montse cruzó la calle y entró en el edificio. Cruzó el patio interior y subió las escaleras de piedra hasta la primera planta. Por fin, llegó a la puerta de su clase, pero no entró.

Los estudiantes dentro del aula estaban trabajando con sus portátiles y mirando al señor Figuero al frente de la clase. Montse podía ver una silla libre al lado de su mejor amiga Jimena, pero era imposible entrar en ese momento. Se escondió detrás de la puerta y esperó la oportunidad para entrar.

En el aula, el señor Figuero hablaba sobre El Prado, el famoso museo de arte clásico de Madrid. En la pantalla, había una foto de la estatua de un hombre con un sombrero. Al fondo* de la foto se veía un edificio enorme. El señor Figuero estaba mirando a la clase y explicando la imagen.

—... y en esta foto se ve la estatua de Goya en la Puerta de Goya del Museo del Prado. Esta estatua demuestra la importancia de este gran artista español de los siglos* XVIII y XIX.

Figuero cambió la imagen y ahora se veía el cuadro de una batalla en una ciudad antigua.

Había soldados montados a caballo luchando con gente en la calle. Los soldados tenían turbantes y espadas curvadas*. Parecía una batalla terrible. Figuero continuó hablando.

El 2 de mayo de 1808 en Madrid

—Como saben todos ustedes, Francisco José de Goya y Lucientes vivió en Madrid durante los horrores de la invasión francesa. Años después, en 1814, Goya pintó este famoso cuadro «El dos de mayo», el cual demuestra* la lucha de la

turbantes y espadas curvadas - *turbans and curved swords*
demuestra - *shows*

gente de Madrid, los madrileños valientes, contra las fuerzas napoleónicas en la Guerra de la Independencia Española.

Algunos estudiantes del aula tomaban apuntes con sus portátiles, nerviosos por el examen que venía. El señor Figuero continuó hablando.

—En esta escena, podemos ver a los Mamelucos, guerreros de Egipto, luchando del lado de los soldados de Napoleón contra los madrileños.

El señor Figuero hizo una pausa y se dio la vuelta* para escribir en la pizarra. Montse podía ver la silla libre al lado de su amiga Jimena. Ahora tenía una oportunidad. Entró rápidamente, subió las escaleras y se sentó al lado de su amiga sin hacer ruido. Jimena la miró, pero no dijo nada.

El profesor todavía estaba de espaldas* a la clase pensando en algo. Con suerte, el señor Figuero no había visto nada. Tras un segundo*, levantó la mano y escribió en la pizarra "Los ojos son el espejo del alma".

Los ojos son el espejo del alma

*se dio la vuelta - *he turned around*
*estaba de espaldas - *had his back to the class*
*tras un segundo - *a second later*

El señor Figuero se dio la vuelta, pero no miró a Montse. No le dijo nada. Parecía que Montse había logrado* su misión de entrar en secreto.

Montse miró la batalla del cuadro. Los Mamelucos tenían caballos grandes, espadas curvadas y cuchillos largos. Había mucha sangre en el suelo, la sangre de los españoles muertos. No era una lucha justa*. A Montse le pareció horroroso.

El señor Figuero continuó hablando del cuadro de la pantalla.

—Observen ustedes los ojos de la gente que lucha. Para Goya, los ojos eran el espejo del alma. Aquí, en los ojos de este cuadro, podemos ver la pura locura de una brutal batalla. Así son… ¡Los ojos de Goya!

*había logrado su meta - *had achieved her goal*
*No era una lucha justa - *It was not a fair fight.*

Figuero hizo una pausa y miró directamente al lugar donde estaba Montse. En ese momento, a Montse le parecía que el ojo de cristal del señor Figuero la miraba directamente. Ella vio una luz brillante dentro del ojo, una luz que parecía un fuego.

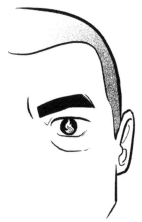

«Es una ilusión óptica. No hay nada en ese ojo», pensó Montse. Sin embargo, desvió la mirada* para evitar mirar el ojo de su profesor tan raro.

Figuero se dio la vuelta y cambió la imagen en la pantalla. Ahora se veía una pintura de un hombre con una camisa blanca y los brazos levantados en forma de cruz. El hombre estaba frente a unos soldados con fusiles. No se veían las caras de los soldados del pelotón de ejecución*.

—Y en este cuadro, «El tres de mayo», vemos el fusilamiento de los españoles el día después de la batalla de Madrid. Se puede observar el sufrimiento y la resignación en los ojos del hombre ante su muerte inminente.

Figuero hizo una pausa y miró a la clase otra vez. Nadie dijo nada. Había un silencio total. Montse levantó la cabeza y miró a su profesor. Su corazón palpitaba de miedo*.

---

*desvió la mirada - *averted her gaze (looked down)*
*pelotón de ejecución - *firing squad*
*palpitaba de miedo - *was beating in fear*

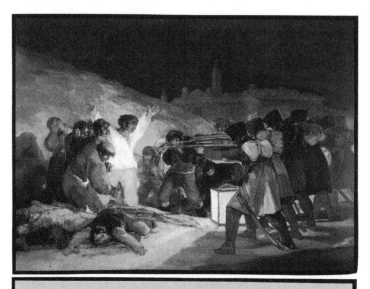

El 3 de mayo en Madrid

En ese momento, el señor Figuero miró directamente hacia Montse y dijo:

—No había lugar para esconderse. La gente de Madrid no pudo escapar de su destino... ¡LA MUERTE!

Montse sintió un escalofrío* del miedo. De repente, le dolía la muñeca justo debajo del reloj donde tenía el tatuaje. Quería salir de clase, pero se sentía atrapada bajo la mirada de* ese ojo de cristal tan raro.

La mirada del señor Figuero duró solo un instante pero fue suficiente para lograr el efecto que quería. Se dio la vuelta

*un escalofrío - *a shiver*
*bajo la mirada de - *under the gaze of*

para escribir de nuevo* en la pizarra, y los estudiantes volvieron a mirar las pantallas de sus portátiles.

Ahora Montse tenía miedo de verdad. Quería hablar con su amiga Jimena, pero era imposible en ese momento. Además, la muñeca todavía le dolía*. Se quitó el reloj y se miró el tatuaje.

¡Qué raro! No podía creer lo que veía. El tatuaje ya no parecía una espiral. Ahora parecía un ojo loco... uno de esos ojos de pura locura, como en las pinturas de Goya. ¡Un ojo que la miraba directamente a ella!

*de nuevo - *again*
*todavía le dolía - *was still hurting her*

Capítulo tres

AMIGAS DESDE SIEMPRE

*L*a campana sonó y todos los estudiantes salieron de clase. Todo el mundo quería irse de allí lo más rápido posible. Montse y su amiga Jimena bajaron las escaleras y salieron juntas. Cruzaron el patio interior y salieron del enorme edificio. Empezaron a hablar al pasar por la entrada.

—Ay, Montse. Ese tío* está loco, ¿verdad? —se rio Jimena—. Y con ese ojo de cristal parece un típico profe loco de una escuela de magia.

Pero Montse no se rio. No le dijo nada a su amiga. Continuó andando por la avenida, junto al río Guadalquivir, para cruzar el puente en dirección a su casa.

---

*Ese tío - *That dude: tía and tío mean aunt and uncle, but in Spain are often used as slang to refer to a person, like dude, man, girl, etc.*

BARRIO DE TRIANA

EL CENTRO →

PUENTE DE ISABEL II

El Puente de Isabel II conectaba el centro de Sevilla con el antiguo barrio* de Triana donde vivían Montse y Jimena. Las dos amigas vivían en casa con sus padres como casi todos los universitarios de Sevilla. Aunque vivían en diferentes partes del barrio, sus casas estaban en dos calles muy cercanas y podían ir juntas a la universidad casi todos los días.

A veces, tomaban el autobús para regresar a casa, pero a la hora de comer, preferían cruzar el puente a pie y pasar por el Mercado de Triana que estaba al otro lado. Desde el puente, podían mirar a los pescadores y los barcos turísticos del río.

—¡Eh! Espera un momento, tía. ¿Qué te pasa? ¿Por qué andas* tan rápido? —preguntó Jimena, preocupada por su amiga.

---

*barrio - *neighborhood*
*andas - *walking (caminar)*

Montse no respondió a su amiga y continuó andando hacia el puente. Jimena empezó a preocuparse* por su amiga cada vez más.

El padre de Montse, el señor Miguel Sánchez Pérez, tenía una tienda de antigüedades en la calle San Jacinto de Triana. La tienda se llamaba Antigüedades Sánchez Pérez: Objetos Raros y Valiosos. Montse vivía justo enfrente de la tienda, al otro lado de la calle.

Finalmente, Jimena se detuvo y agarró* por la mano a su amiga.

—¡Espera, Montse! ¡Dime qué te pasa!

—Jimena. Me ha pasado otra vez —dijo Montse deteniéndose* en medio de la calle.

—¿Qué te ha pasado otra vez?

*empezó a preocuparse - *started to worry*
*se detuvo y agarró - *she stopped and grabbed*
*deteniéndose - *stopping*

Montse no le dijo nada a su amiga. La miró y le enseñó la muñeca.

—¿Lo de la muñeca? Montse, sabes que eso es solo tu imaginación. Estás estresada, tía, con el trabajo y las tareas de clase. Es normal. Te lo estás imaginando.

Jimena era una de las pocas personas que sabía lo del extraño tatuaje en la muñeca de Montse. Ella también conocía todas las preocupaciones de Montse y su lucha con la ansiedad.

—No, esta vez no —dijo Montse—. Esta vez fue real. Cuando Figuero estaba hablando de los ojos de Goya, me empezó a doler el tatuaje. Me quité el reloj y el tatuaje se había convertido* en un ojo. ¡Era un ojo que me miraba!

—Ay, Montse, tú sabes que los tatuajes no cambian. Son permanentes. Es solo una ilusión óptica, un truco de tus ojos, nada más.

—¡Era real! ¡Te lo juro, Jimena!

Jimena le sonrió con compasión, pero no le preguntó más. Empezaron a caminar otra vez hacia el puente para cruzar el río. Jimena estaba preocupada por su amiga.

Las dos chicas habían sido* mejores amigas desde siempre. Ni Montse ni Jimena tenían hermanos, y eso hacía la relación entre ellas más fuerte. Siempre estaban juntas y hablaban de todo. Eran como hermanas.

---

*se había convertido en - *it had changed into*
*habían sido - *had been*

Jimena vivía cerca en Triana y pasaba mucho tiempo en la tienda de antigüedades del padre de Montse. Los padres de su amiga habían sido como una segunda familia para ella.

—¡Venga, tía! Olvídate de Figuero —le dijo Jimena—. Hoy es el cumpleaños de tu padre. Vamos a parar en el Mercado de Triana para comprarle un regalo. Podemos comprar marisco y arroz para hacerle una paella riquísima.

—Vale*, vale, está bien, Jimena. Tienes razón*, ¡como siempre!

—Bueno, sí. ¡Siempre tengo razón! Eso está más claro que el agua. Venga, olvídate de ese profe tan raro. ¿Qué nos puede hacer? ¿Matarnos con otra clase aburrida de historia del arte?

Las dos chicas se rieron y continuaron caminando hasta llegar al Puente de Isabel II. Podían ver las palabras «Castillo

Vale - *Okay*
Tienes razón - *You're right*

de San Jorge» pintadas en grande en los muros blancos del Mercado de Triana al otro lado del río. Cruzaron el puente y llegaron al barrio de Triana.

El mercado estaba al otro lado de la calle. Pasaban muchos coches y las dos amigas tuvieron que esperar para cruzar.

De repente, pasaron dos coches de policía con las sirenas puestas. Iban a una velocidad increíble hacia el barrio de Triana. Pasaron muy cerca de las dos amigas, pero Montse, en ese momento, no estaba prestando atención a su alrededor*.

—¡Ten cuidado*, Montse! —gritó Jimena, agarrando la mano de su amiga—. ¡Qué barbaridad! La policía debería tener más cuidado en la ciudad.

Las chicas miraron los dos coches desaparecer por las calles de Triana y aprovecharon* un momento sin tráfico para cruzar la calle y entrar en el mercado.

*alrededor - *surroundings*
*¡Ten cuidado! - *Be careful!*
*aprovecharon - *they took advantage of*

El Mercado de Triana era un mercado típico de Sevilla, con puestos de frutas, carne y pescado. Estaba construido encima de las ruinas del Castillo de San Jorge, el infame lugar de la Inquisición española. Muchas veces, Montse y Jimena pasaban por el mercado de camino a casa* para hacer la compra del día.

Las dos chicas fueron al puesto de pescado de Josefina. Había lo típico: gambas blancas de Huelva, pulpos enteros con largos tentáculos, mejillones negros, calamares y, por supuesto, mucho pescado.

—Hola, buenas tardes —le dijo Jimena a la mujer del puesto—. ¿Me da medio kilo de gambas, un cuarto de calamares y otro cuarto de almejas, por favor?

—Claro que sí, señorita —respondió Josefina. La mujer puso el marisco en bolsas y se las dio a Jimena.

—¿Algo más? —le preguntó.

—No, gracias —dijo Jimena y le pagó.

Jimena y Montse se estaban dando la vuelta* para irse cuando, de repente, oyeron a la mujer hablarles.

—Oigan, señoritas. ¡Tengan cuidado por allí!

—¿Por qué? —dijo Jimena dándose la vuelta para mirarla—. ¿Pasa algo?

—Bueno, sí. ¿No han escuchado ustedes las sirenas en la calle?

*camino de casa - *on the way home*
*se estaban dando la vuelta - *were turning around*

En ese momento, Montse y Jimena recordaron los dos coches de policía que pasaron tan cerca* de ellas antes de entrar al mercado.

—Es terrible —dijo la mujer—. Alguien robó en una tienda al final de la calle San Jacinto. La gente dice que los sospechosos* se escaparon, y la policía los está buscando ahora. Tengan cuidado. Puede ser peligroso. Dicen que un hombre murió.

Dicen que un hombre murió.

*tan cerca - *so close*
*los sospechosos - *the suspects*

Montse sintió otro escalofrío. Tuvo un mal presentimiento*. La tienda de antigüedades de su padre estaba al final de la calle San Jacinto.

—¿Sabe usted cómo se llama la tienda en la que robaron? —le preguntó Montse con cara de miedo.

—No lo sé, señorita. Nadie me dijo el nombre de la tienda, pero me dijeron que era una de esas tiendas de cosas viejas y raras... una tienda de antigüedades.

*__Tuvo un mal presentimiento__ - *she had a bad feeling*

Capítulo cuatro

EL ESCONDITE

Montse y Jimena corrieron por la calle San Jacinto hacia la tienda de antigüedades. El corazón de Montse palpitaba de miedo*. Había perdido a su madre y no podía imaginar perder también a su padre.

Jimena corría junto a Montse, ahora preocupada por el padre de su mejor amiga.

Montse y Jimena habían crecido* juntas en Triana, el antiguo barrio de Sevilla situado al lado del río. Caminaron por todas partes y las dos conocían las calles muy bien.

Jimena vivía cerca en la calle Alfarería, donde sus padres tenían una tienda de cerámica. Sus padres la habían

---

*palpitaba de miedo - *was beating in fear*
*habían crecido - *had grown up*

adoptado* cuando era solo un bebé. Eran mayores y pasaban los días en la fresca oscuridad de la tienda pintando azulejos*, platos y tazones de cerámica típicos de Sevilla. Eran simpáticos, pero trabajaban mucho y casi nunca salían de la tienda.

Jimena no tenía hermanos, y cuando era más pequeña, no le gustaba estar sola en la tienda de cerámica sin otros niños. Prefería pasar el tiempo libre jugando en la tienda de antigüedades de los padres de Montse.

Jimena tenía un año menos que Montse, pero jugaba con ella casi todos los días. Los padres de Montse, Miguel y Magdalena, trataban a Jimena* como a una hija. Siempre decían que era miembro honorario de la familia Sánchez Pérez.

La tienda de antigüedades fue un lugar mágico para las dos niñas. Magdalena trabajaba en la tienda con su marido

*la habían adoptado - *had adopted her*
*azulejos - *glazed, painted tiles from Spain and Portugal*
*trataban a Jimena - *treated Jimena*

y pasaba mucho tiempo jugando con Montse y Jimena. Le gustaba organizar búsquedas del tesoro para las dos amigas. Escondía dulces en lugares secretos de la tienda para las niñas y luego les daba pistas para encontrarlos.

A veces, la vieja vecina Carmen también participaba en sus juegos. Ella era viuda, y siempre vestía de luto en memoria de su marido que había muerto hace años. Sin embargo, era una mujer feliz, siempre llena de energía.

Carmen pasaba mucho tiempo en la tienda jugando con Montse y Jimena. Le gustaba sobre todo jugar al escondite* con ellas. Cuando jugaban, Carmen se cubría los ojos con las manos, contaba hasta veinte, y después buscaba a las dos chicas pequeñas entre los muebles, lámparas y estatuas raras de la tienda. Fue un tiempo maravilloso para las chicas.

Todo cambió el día en el que la madre de Montse desapareció. Montse empezó a tener pesadillas* sobre monstruos y figuras extrañas que salían de la oscuridad. A veces, Jimena estaba con ella en sus pesadillas. En ellas, las dos amigas huían de un hombre misterioso.

---

*escondite - *hide and seek*
*pesadillas - *nightmares*

Montse empezó a sufrir ataques de ansiedad. Tenía más miedo de los espacios cerrados y los lugares oscuros*. Ya no quería volver a jugar al escondite en la tienda con Jimena.

Jimena se preocupaba por su mejor amiga. Pasaba por la tienda de antigüedades cada tarde para hablar con ella. Aunque tenía un año menos que Montse, Jimena la cuidaba como su hermana menor.

Cuando crecieron, Montse entró en la universidad de Sevilla un año antes que Jimena. Empezó a aprender todo sobre el arte como su madre. Le encantaba estudiar las escenas misteriosas de los cuadros, cada uno escondiendo un secreto de otro siglo.

Un año después, Jimena también entró en la universidad. A Jimena no le interesaba tanto el arte, pero quería estar con su mejor amiga. Se inscribió* en la misma clase de historia del arte con Montse, y así fue como las dos amigas llegaron a estar juntas en la clase del señor Figuero.

Desde entonces, la vida era más o menos normal. Todo iba bien hasta ese día, hasta el momento en el que escucharon las sirenas de la policía frente al Mercado de Triana.

Cuando Montse y Jimena llegaron al final de la calle San Jacinto, vieron a muchas personas enfrente de la tienda de

*los lugares oscuros - *dark places*
*se inscribió - *she registered*

antigüedades de su padre. Había una cinta amarilla enfrente de las puertas con las palabras *NO CRUZAR*. Los coches de policía estaban aparcados en la calle, y había una ambulancia al lado de la tienda. Ellas vieron a Carmen, la vecina que vivía al lado, hablando con la policía.

—¡Papá! —gritó Montse—. ¡Papá!

—¡Papá! —gritó Montse—. ¡Papá!

Montse apartó a la gente* e intentó cruzar por debajo de la cinta amarilla de la policía.

—¡Señorita! —gritó un policía—. ¡Está prohibido cruzar! ¡No se puede entrar!

---

*apartó a la gente - *she pushed the people apart*

—¡Es la tienda de mi padre! —gritó Montse—. ¿Dónde está mi padre? ¡Déjeme* entrar!

De repente, Montse escuchó una voz masculina detrás de ella.

—Déjela entrar, sargento.

Montse se dio la vuelta y vio a un hombre en un traje gris. El hombre no llevaba uniforme, pero parecía oficial. Llevaba grandes gafas de sol con cristales oscuros. Las lentes reflejaban la fuerte luz del sol de las tardes de Sevilla. Montse no podía ver sus ojos.

Después de escuchar la voz del detective, el policía soltó a Montse y se fue para controlar a la otra gente. El detective sacó su cartera, la abrió y le mostró a Montse la placa de identificación.

—Disculpe señorita. Soy el detective Franco Perón del Interpol* —dijo el hombre—. Usted es la hija del señor Sánchez Pérez, ¿verdad?

*Déjame - *Let me*
*Interpol - *International Criminal Police Organization*

—¡Sí! ¿Dónde está mi padre? ¿Está muerto?

—Tranquila, señorita. Aquí nadie se ha muerto.

—Pero me dijeron que…

—Señorita, no hemos encontrado a nadie en la tienda. Parece que su padre no está aquí.

—¿Y la ambulancia? —le preguntó Montse—. ¿Por qué hay una ambulancia?

—Es el protocolo. Siempre que hay un atraco*, viene la ambulancia… por si acaso*. Sin embargo, en este caso hemos tenido suerte. Disculpe, señorita Sánchez, no debemos hablar de este asunto aquí en la calle. Por favor, vayamos a hablar dentro de la tienda.

El detective abrió la puerta y esperó a Montse. Estaba oscuro dentro de la tienda, y ella no podía ver casi nada. Montse se sentía confundida. Si su padre no estaba muerto, ¿dónde estaba?

Montse se dio la vuelta para buscar a Jimena, pero su amiga estaba hablando con Carmen, la vieja viuda de los juegos del escondite. Carmen tenía un sobre* en la mano, y parecía asustada.

***un atraco** - *a robbery / heist (un robo)*
***por si acaso** - *just in case*
***un sobre** - *an envelope*

Jimena todavía tenía la bolsa de marisco* para la paella del cumpleaños de Miguel. Después de hablar unos segundos más, Carmen le dio el sobre a Jimena y tomó la bolsa con el marisco.

Montse no comprendía por qué Jimena se preocupaba del marisco en un momento tan serio*. Quería saber lo que le había pasado a su padre, y no podía esperar más a su amiga. Por lo que, decidió entrar sola en la tienda oscura con el detective Franco.

*la bolsa de marisco - *the bag of shellfish*
*tan serio - *so serious*

Capítulo cinco

EL UNIVERSO PATAS ARRIBA

$\mathcal{M}$ontse entró en la tienda oscura con el detective Franco. No había nadie más en la tienda. No entraba mucha luz de la calle y era difícil ver todo bien. Pero, poco a poco, los ojos de Montse se acostumbraron* a la oscuridad, y ella vio el desorden que había causado el robo.

Los cajones de los muebles estaban abiertos y revueltos*. Había un montón de papeles tirados por el suelo. Los platos antiguos y las estatuas de cerámica estaban rotos. Era un desastre, como después de un huracán.

—¿Qué ha pasado aquí? —le preguntó Montse al detective—. ¿Dónde está mi padre?

---

*se acostumbraron - *got used to, adjusted to*
*revueltos - *in a mess*

—Señorita Sánchez, como le dije a usted en la calle, no sabemos dónde está su padre. Cuando llegamos aquí, la tienda ya estaba en este estado de desorden y su padre no estaba. Lo siento, pero este caso parece no ser un robo normal.

—¿Cómo? ¿Qué quiere decir?

—Parece que los criminales no han venido por dinero. Han dejado* la caja fuerte sin tocar. Y como usted puede ver, las antigüedades de valor están todas tiradas por el suelo. Está claro que han venido con otro objetivo que el de robar.

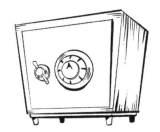

—¿Qué querían entonces? ¿Quién ha hecho todo esto? —le preguntó Montse confundida.

—Señorita Sánchez, creemos que su padre estaba involucrado* en algunos asuntos, digamos, no legales. Hemos encontrado esta tarjeta encima del escritorio de su padre.

El detective Franco le dio una tarjeta de papel antiguo a Montse. Ella la tomó y la miró. Había una frase escrita en la tarjeta:

«*Buen ojo, buen oído, buenas piernas y poca lengua.*»

40 ──────────
*han dejado - *they have left, they left*
*estaba involucrado - *was involved in*

BUEN OJO,
BUEN OÍDO,
BUENAS PIERNAS Y
POCA LENGUA.

—No lo entiendo —le dijo Montse—. ¿Qué es esto?

—Creemos que es una señal. Esa frase viene de la Garduña, una organización secreta de criminales. Es una antigua mafia española, una organización bastante peligrosa. Esa frase es como una regla o una ley* para ellos. Disculpe, señorita, pero creemos que su padre estaba trabajando con la mafia.

Montse le miró sin comprender. ¿La Garduña? ¿La mafia? ¿De qué hablaba el detective? No podía creer lo que escuchaba. A Montse le parecía absurdo. El detective continuó hablando.

—Por favor, dele la vuelta* a la tarjeta. ¿Reconoce usted ese diseño?

Montse le dio la vuelta a la tarjeta y no podía creer lo que veía. Había un pequeño diseño en la tarjeta. Era un ojo rodeado de serpientes. A Montse se le congeló la sangre*. El diseño de la tarjeta era igual al del tatuaje que ella tenía en la muñeca. El detective se quedó mirando a Montse, buscando una respuesta en sus ojos.

El diseño en la tarjeta era igual al del tatuaje...

—Señorita Sánchez, ¿reconoce usted ese símbolo? —le preguntó de nuevo el detective.

Montse levantó la vista* de la tarjeta y miró al detective. Ahora que sus ojos estaban acostumbrados a la oscuridad

*se le congeló la sangre - *her blood froze*
*levantó la vista - *she looked up*

de la tienda, Montse podía ver mejor al detective. Notó que aún llevaba* las gafas de sol a pesar de que la tienda estaba a oscuras. Ella no podía ver sus ojos.

En ese momento, un rayo de luz entró a través de la ventana y Montse notó el reloj que el detective Franco llevaba en la muñeca.

Montse había aprendido mucho sobre relojes trabajando en la tienda de antigüedades con su padre. Aquel reloj era un Rolex Oyster Cosmograph, un reloj antiguo de alto valor.

«Es un reloj muy caro para un detective», pensó Montse.

De repente, Montse tuvo un mal presentimiento. Supo que algo no cuadraba* allí. Todo esto tenía que ser una mentira. Su padre no era un criminal.

—Señorita, ¿lo reconoce o no? —le repitió el detective.

—No, ni idea —le mintió Montse al detective—. Nunca en mi vida he visto ese dibujo.

El detective hizo una pausa y la miró con una mirada fría.

—Señorita Sánchez, ese dibujo es el símbolo de la Garduña. Este es un caso de importancia internacional —le dijo el detective—. ¿Está segura de que usted no tiene información de dónde puede estar su padre?

—No, ¿cómo voy a saberlo? —le respondió Montse—. No tengo ni idea de donde puede estar.

---

*aún llevaba - *was still wearing*
*no cuadraba - *didn't fit (didn't make sense)*

...en ese detective tan raro.

El detective Franco miró a Montse de nuevo a los ojos, pero no le preguntó más. Tomó la tarjeta con el dibujo y la puso en su bolsillo.

—Está bien, señorita Sánchez. Vamos a guardar esta tarjeta como evidencia, pero tome usted mi tarjeta personal. Tiene mi número de teléfono. Por favor, llámeme si tiene cualquier* información sobre el caso. Usted no se preocupe. Le aseguro que vamos a encontrar a su padre.

En ese momento, a Montse le invadió el miedo. No confiaba en ese detective tan raro con sus gafas oscuras y ese reloj Rolex. No quería estar allí ni un minuto más. Tomó la tarjeta y se dio la vuelta para irse de la tienda.

—Espere un momento, señorita Sánchez —le dijo el detective—. Quiero que usted sepa algo*. Debe tener cuidado. No mencione a nadie nuestra conversación. Recuerde que la Garduña tiene ojos y oídos por todas partes.

Montse salió a la calle con mucha prisa. Por la oscuridad de la tienda, ahora no podía ver nada con tanta luz. En unos segundos sus ojos se acostumbraron a la fuerte luz de la tarde y vio que Carmen y Jimena ya no estaban allí.

«¿Dónde está Jimena?», se preguntó. «¿Por qué me ha dejado sola?»

*cualquier - *any*
*Quiero que sepa usted algo - *I want you to know something*

Montse empezó a caminar calle arriba* por San Jacinto buscando a su amiga. ¿Dónde podría estar? De repente, escuchó una voz llamándola en voz baja.

—¡Oye, Montse! Ven aquí.

Montse se dio la vuelta y vio a Jimena escondida detrás de una puerta de madera en una bocacalle de San Jacinto. Jimena le estaba haciendo un gesto con la mano para que se acercara*.

—Jimena, ¿dónde has estado? —le gritó Montse acercándose—. ¿Por qué me dejaste sola?

—Montse, ¡Shhh! ¡Cállate ya! No puedo contártelo ahora. Ven conmigo, ¡rápido! ¡Estamos en peligro!

---

*__calle arriba__ - *up the street*
*__para que se acercara__ - *for her to come closer*

Montse quería saber lo que pasaba, pero podía ver que su amiga tenía miedo. La siguió sin decir ni una palabra más.

Jimena y Montse caminaron rápidamente por las calles pequeñas de Triana, mirando hacia atrás de vez en cuando.

—Jimena, ¿adónde vamos? —le preguntó Montse después de unos minutos.

—A la tienda de cerámica de mis padres. Allí podremos escondernos para hablar. Tenemos que ir por estas calles para que no nos vean*.

«¿Para que no nos vean? ¿Quiénes?», pensó Montse.

Al fin llegaron a la tienda de cerámica en la calle Alfarería. Eran las cuatro de la tarde y la tienda estaba cerrada. No había nadie en la calle.

—Mis padres no están —dijo Jimena—. Es la hora de la siesta. Deben estar dormidos. Voy a por la llave que mis padres escondieron aquí al lado.

—¡Jimena! ¡Basta ya! —le dijo Montse—. Estoy harta de* jugar al escondite. No me muevo de aquí hasta que me expliques lo que ha pasado. ¿Por qué estamos corriendo y escondiéndonos como criminales?

Jimena paró en seco y miró a su amiga. Sacó un sobre del bolso y se lo dio a Montse.

—Montse... Carmen me dio este sobre mientras hablabas con la policía —le dijo Jimena—. Me dijo que es de tu

*para que no nos vean - *so they can't see us*
*Estoy harta de - *I'm fed up with*
*paró en seco - *Stopped short*

padre. Dijo que debemos abrirlo en secreto y que estamos en peligro. No me dijo nada más. Venga, Montse, no podemos estar aquí en la calle. Tenemos que entrar en la tienda.

Montse la miró con los ojos como platos. ¡Un sobre de su padre! ¿Su padre estaba vivo? Le pareció que el universo estaba patas arriba*.

—Vale, Jimena, confío en ti. Vamos a entrar. Tenemos que abrir ese sobre.

Capítulo seis

EL SECRETO DE GOYA

Jimena desapareció al irse detrás de la tienda, luego volvió con la llave y abrió la puerta. Las campanillas de la puerta sonaron con un tintineo*. Las dos chicas entraron y pasaron por un salón principal con azulejos de múltiples colores y platos pintados. Se fueron al fondo de la tienda y llegaron a la trastienda donde estaba el horno para la cerámica.

—Podemos escondernos aquí —dijo Jimena entrando en el pequeño cuarto oscuro.

Las chicas estaban en el cuarto del horno*, donde los padres de Jimena fabricaban la cerámica. Las brasas del horno estaban todavía rojas y hacía mucho calor.

*con un titineo - *with a jingle*
*el cuarto del horno - *kiln, oven room*

Una débil luz salía del horno y las sombras del fuego jugaban en las paredes.

Montse sacó su teléfono del bolsillo y marcó el número de su padre. Saltó el contestador. Montse esperó un segundo con el teléfono en la mano, pero no dejó un recado*. Colgó el teléfono y miró a Jimena.

—Mi padre no contesta —le dijo Montse—. Jimena, el detective de la tienda me contó un montón de cosas raras. Me dijo que mi padre es parte de un grupo de criminales... de una mafia.

—Montse, escúchame. Eso es absurdo. Tu padre no es un criminal. Venga, abre el sobre. Tenemos que saber la verdad.

 Montse abrió el sobre. Dentro había una carta escrita en papel blanco, un pequeño collar con un colgante en forma de triángulo y un pergamino antiguo* con un poema escrito a mano.

Montse miró el papel blanco y Jimena se inclinó sobre su amiga para leer la carta a la luz de las brasas del horno.

---

*no dejó un recado - *didn't leave a message*
*un pergamino antiguo - *an old piece of parchment paper*

Querida Montse:

Si lees esta carta, es porque ha llegado el momento que yo temía. Nuestra familia está en grave peligro a causa de una organización secreta de criminales... la Garduña.

He tenido que huir* a Madrid inmediatamente. No tengo tiempo para explicártelo todo en esta carta, pero debes saber lo más importante.

Montse, hace muchos años, tu madre y yo éramos estudiantes en la universidad de Madrid. Tu madre tenía una beca para investigar las obras de Francisco de Goya.

Un día, ella descubrió un antiguo secreto de Goya y la Inquisición española... un secreto horrible que cambió nuestras vidas para siempre.

Goya vivió los últimos años de la Inquisición cuando los reyes y la iglesia todavía controlaban a la gente con el terror de sus tribunales. Los científicos de la corte de Carlos IV* habían desarrollado una potente poción para usar en los interrogatorios de la Inquisición. Esta poción se llamaba «El sueño de la razón.»

__huir__ - to run away
__la corte de Carlos IV__ - the royal court of Charles IV

Después de tomarla, la víctima empezaría a tener* pesadillas y visiones horribles. En otras palabras, perdería todo razonamiento lógico.

El sueño de la razón produce monstruos.

Pero la guerra* lo cambió todo. En 1808, los franceses invadieron España. Ellos tomaron el control de toda España, y Napoleón eliminó la Inquisición.

NAPOLEÓN

Para proteger el secreto de la poción, los científicos de la Corte española tuvieron que esconder la fórmula. Era un arma* demasiado peligrosa para dejar en manos de los franceses.

54 *la guerra - *the war*
*un arma - *a weapon*

Con el pasar de los años todos los científicos murieron. Nadie más conocía el lugar secreto de la fórmula, nadie excepto el artista de la Corte, Francisco de Goya.

Goya odiaba la Inquisición, pero dejó pistas en sus obras sobre la localización de la fórmula. Nadie sabe por qué lo hizo, pero sabemos que al final de su vida, Goya también sufría de locura... que también perdió la razón.

Muchos años después, la Garduña se enteró* de que tu madre había descubierto el secreto de localización de la fórmula debido a sus investigaciones sobre Goya.

De repente, tu madre y yo estábamos en grave peligro. Tuvimos que huir de Madrid. Nos fuimos a Sevilla para escondernos. Empezamos una nueva vida aquí, pero yo sabía que siempre estaríamos en peligro a causa de esos mafiosos.

Vivimos en Sevilla por unos años sin problemas, pero un día tu madre me dijo que iba a Madrid para hablar con un cliente rico.

Yo no quería que fuera* a Madrid, pero ella insistió. Dijo que era sumamente importante hablar con él, que era para ayudar a nuestra familia.

Tu madre no me explicó más, pero mencionó algo extraño antes de irse. Dijo que existía el rumor de que su cliente tenía un ojo de cada color, uno verde y otro marrón. Luego, ella se fue a Madrid... y nunca volvió.

*se enteró - *found out*
*Yo no quería que fuera - *I didn't want her to go*

¡Ten cuidado, Montse! La Garduña es una organización sumamente peligrosa. Ellos tienen un líder, un tal Gran Hermano, pero su identidad es totalmente desconocida. Dicen que su único objetivo* es enriquecerse, y sabemos que la fórmula tiene un valor inestimable.

Montse, no hay mucho tiempo. Tienes que huir de Sevilla inmediatamente y buscarme en Madrid. Juntos podemos buscar la fórmula y destruirla para siempre.

¡Ten cuidado, hija mía! La Garduña tiene agentes infiltrados en la policía, en la prensa, e incluso en el gobierno. Además, te pueden localizar por llamadas telefónicas. No llames a nadie, y destruye esta carta lo antes posible para que no caiga* en manos de esos mafiosos.

Montse, por favor, no debes confiar en nadie. Jimena es la única excepción. Recuerda... todo el mundo necesita un amigo en momentos difíciles.

En fin, hija mía, te dejo este colgante y el poema del pergamino para que puedas encontrarme. Ponte el colgante y recuerda los momentos felices que has vivido en la tienda de antigüedades con nuestra familia.

Con todo mi amor,

Papá

*único objetivo - *only objective, only goal*
*para que no caiga - *so it doesn't fall*

Querida Montse... Nuestra familia está en grave peligro.

Al terminar de leer, Montse dejó la carta de su padre en el banco y se puso* el colgante. Miró el otro papel del sobre, el pergamino antiguo. Vio el poema y reconoció la letra elegante* de su padre, pero no podía leer más.

Nada tenía sentido. Guardó el pergamino con el poema en el bolsillo y miró a Jimena.

—Jimena, ¿qué hacemos? ¡Mi padre está en peligro! Nosotras estamos en peligro. No sé qué hacer —dijo Montse.

—Tenemos que ir a Madrid a buscar a tu padre —respondió Jimena.

---

*se puso - *put on*
*la letra elegante - *the elegant handwriting*

—Pero Jimena, no sabemos dónde está, y Madrid es una ciudad con millones de personas. ¡Será imposible encontrarlo en una ciudad tan grande!

—Tenemos que intentarlo. Es nuestra única opción. Mira, tengo un primo allí. Podemos ir a Madrid esta noche en AVE* y quedar con él. Puedo llamarle por teléfono.

—Está bien Jimena. Tienes razón.

—¡Como siempre!

Jimena sacó el teléfono para llamar a su primo. De repente, los ojos de Montse se abrieron y miró a Jimena con una expresión de pánico.

—¡Jimena, espera! ¡No llames a nadie! Mi padre dice en la carta que la Garduña nos puede encontrar si usamos los teléfonos.

—¡Es verdad! —exclamó Jimena—. ¡Un momento, Montse! ¡Llamaste a tu padre cuando llegamos aquí! ¡Tenemos que irnos ya!

De repente, Montse y Jimena oyeron el tintineo de las campanillas* de la puerta principal. Alguien estaba entrando en la tienda.

*AVE - *Alta Velocidad Española, the Spanish high speed train*
*el tintineo de las campanillas - *the jingle of the bells*

Capítulo siete

EL ESCAPE

Después de oír las campanillas, Montse y Jimena no oyeron nada más. Sin embargo, sabían que alguien estaba en la tienda con ellas. Jimena le hizo un gesto de silencio a Montse y caminó lentamente hacia la puerta del salón.

—¿Qué haces, tía? ¿Estás loca? —le susurró Montse.

—Tenemos que ver quién es —le respondió Jimena en voz baja.

Jimena caminó de puntillas* a la puerta y miró el salón principal. Las macetas y los platos de las grandes estanterías* que formaban los pasillos de la tienda producían sombras largas en el suelo. Era difícil ver bien.

---

*camino de puntillas - *tiptoed*
*estanterías - *shelves*

Jimena esperó un segundo y después entró. Se escondió detrás de las macetas grandes de las estanterías y miró a través de ellas para ver quien estaba en la tienda.

No pudo ver casi nada durante lo que le pareció una eternidad. De repente, vio una figura oscura caminando lentamente por el pasillo del otro lado de la tienda. Jimena podía ver la forma de un hombre detrás de las estanterías, pero no lograba ver la cara del intruso.

Jimena regresó de puntillas hasta donde estaba Montse. Se puso un dedo en los labios para que su amiga guardara silencio y se le acercó al oído.

—Hay alguien allí —le susurró Jimena—. Podemos escapar por el pasillo del otro lado, detrás de las estanterías. ¡Venga, sígueme!

Montse la miró con ojos como platos. Tenía mucho miedo, pero asintió con la cabeza.

Jimena se puso a cuatro patas* y empezó a gatear* por el pasillo. Montse esperó un segundo y empezó a gatear detrás de ella.

*se puso a cuatro patas - *got down on her hands and knees*
*gatear - *to crawl*

Las dos chicas gateaban en silencio por el lado opuesto al del intruso misterioso. Ahora podían ver la sombra del hombre dirigiéndose* a la parte trasera de la tienda.

El corazón de Montse palpitaba del miedo, pero las dos chicas gateaban sin hacer ningún ruido. Podían oír los pasos* del intruso, que avanzaba lentamente por el pasillo.

Montse y Jimena estaban ya casi al final del pasillo y podían ver la puerta principal de la tienda. No había nadie allí y parecía que iban a poder escapar.

---

*dirigiéndose - *heading towards*
*los pasos - *the footsteps*

De repente, sonó el teléfono de Jimena con el suave tono de un mensaje de texto «BIP».

Jimena sacó el teléfono de su bolsillo y lo apagó rápidamente. Las dos chicas se quedaron paralizadas del miedo. Ya no podían oír los pasos del hombre. No se oía ni una mosca en la tienda.

Después de unos segundos, Jimena le hizo un gesto a Montse para continuar y las dos amigas empezaron a gatear de nuevo hacia la salida. ¡De repente, Montse sintió una mano en el tobillo!

—¡¡¡AHHH!!! —gritó Montse—. ¡Jimena! ¡Socorro!

Jimena miró atrás y vio a Montse agarrada* a la estantería mientras el intruso tiraba de ella hacia atrás. Rápidamente, Jimena se puso de pie*, cogió un plato de cerámica de la estantería y lo lanzó directamente a la cabeza del hombre.

El hombre soltó a Montse y se tiró al suelo para evitar el plato volante. El plato explotó contra la pared con un ¡KRAK! y los trozos de cerámica volaron por el aire.

—¡Venga, Montse! —gritó Jimena—. ¡Levántate!

Montse se puso de pie y las dos chicas empezaron a correr hacia la puerta principal. El intruso también se levantó de un salto y empezó a perseguirlas*. Cuando las chicas

62
*agarrada - *holding on to*
*se puso de pie - *stood up (got on her feet)*
*perseguirlas - *to chase them*

llegaron al final del pasillo, Jimena empujó a Montse hacia la puerta.

—¡Corre! —le gritó.

Pero Montse no podía abandonar a su amiga. Se detuvo antes de salir y miró hacia atrás. Vio a Jimena al final del pasillo con el hombre justo atrás.

—¡Cuidado, Jimena! —gritó Montse.

Tras oír el grito de su amiga, Jimena se dio la vuelta, agarró la parte de arriba de una estantería y tiró hacia abajo*. La estantería se inclinó y todas las macetas y platos de cerámica cayeron encima del intruso rompiéndose en mil pedazos*.

¡Cuidado, Jimena!

*tiró hacia abajo - *pulled it down*
*mil pedazos - *a thousand pieces*

El hombre cayó al suelo con un grito de dolor. Jimena corrió hacia la puerta y las dos amigas salieron a la calle.

Al salir de la tienda, Montse y Jimena casi tropezaron con un coche negro aparcado justo en la puerta. Montse miró el coche, pero no se veía nada a través de los cristales oscuros*. Las chicas evitaron el coche y siguieron corriendo por la calle Alfarería para escapar.

Cuando llegaron al final de la calle, Montse y Jimena miraron atrás. Vieron al intruso salir de la tienda y subir al coche siniestro por el lado del pasajero. El coche arrancó con un gran rugido del motor y empezó a perseguirlas a toda velocidad.

—¡Sígueme! —le gritó Jimena a Montse.

Jimena y Montse entraron por una bocacalle y corrieron hasta llegar a la calle Castilla. Giraron* a la derecha y siguieron corriendo. Miraron atrás y vieron como el coche siniestro entraba por la calle Castilla.

—¡Vamos! —gritó Jimena tirando de Montse hacia una pequeña calle peatonal—. ¡Los coches no pueden entrar por aquí!

Jimena y Montse pasaron por debajo de un arco y corrieron hasta llegar al río. Después, giraron a la derecha y siguieron las antiguas murallas de las ruinas del Castillo de San Jorge hacia el Puente de Isabel II.

***cristales oscuros** - *tinted windows*
***Giraron** - *they turned*

Miraron atrás y vieron al intruso persiguiéndolas a pie.* Estaba justo detrás de ellas.

Empezaron a correr más rápido. Después de unos segundos, llegaron a otro arco, uno que daba* a la entrada del Mercado de Triana, el mismo mercado de esa mañana.

—¡Venga! ¡Por aquí, rápido! ¡Podremos escapar por el mercado! —gritó Jimena.

¡Venga! ¡Por aquí, rápido! ¡Podemos escapar por el mercado!

Montse y Jimena entraron al Mercado de Triana, pasaron por la puerta de salida del museo del Castillo de San Jorge y subieron las rampas hacia el interior del mercado.

---

*persiguiéndolas a pie - *chasing them on foot*
*uno que daba - *one that led to (gave way to)*

Pasaron por la misma pescadería de Josefina donde habían estado hacía solo unas horas comprando marisco para la paella del cumpleaños de Miguel. Estaba cerrada y no había nadie allí.

Fueron al otro lado del mercado, a la puerta principal, y salieron otra vez a la calle. Empezaron a caminar despacio para no llamar la atención.

—¡Venga! Vamos a la plaza del Altozano. Allí siempre hay taxis —dijo Jimena, caminando rápido hacia la plaza.

Llegaron a la plaza y vieron tres taxis. Subieron al primero y cerraron la puerta.

—Buenas tardes, señoritas. ¿Adónde vamos? —les preguntó el taxista.

—A la estación de Santa Justa, y rápido, por favor —le dijo Jimena.

—Claro que sí, señoritas... a la orden.

El taxi se puso en marcha y fue hacia el Puente de Isabel II. Montse y Jimena estaban sudando y tenían las caras sucias. El taxista las observó por el espejo retrovisor*.

Para cruzar el puente, el taxi tuvo que pasar por delante del mercado de Triana. Montse miró hacia la entrada y vio al intruso salir. Iba corriendo y tenía sangre en la cabeza. Montse y Jimena se agacharon* dentro del taxi para no ser vistas.

—¿Lo has visto, Jimena? —le preguntó Montse.

---

*el espejo retrovisor - *the rear view mirror*
*se agacharon - *ducked down (bent down)*

69

—Sí, claro. Era él, el intruso de la tienda. Tenía sangre en la cabeza.

—No, Jimena. Me refiero al otro hombre*.

—¿Qué? ¿Qué dices?

—Había otro hombre detrás. Era él... el señor Figuero, nuestro profesor de historia del arte.

*Me refiero al otro hombre - *I'm talking about the other man*

Vuelva usted mañana. —anónimo

Capítulo ocho

LOS RECUERDOS NOS JUNTAN

El taxista observó en silencio a Montse y a Jimena por el espejo retrovisor. Las chicas podían ver los dos ojos del taxista mirándolas. Montse tenía una sensación rara, y le dolía la muñeca otra vez.

—¿Adónde van con tanta prisa*, señoritas? ¿Un viaje especial? —les preguntó el taxista.

Montse y Jimena se miraron. Montse pensó en la carta de su padre. ¿Qué es lo que había dicho en la carta? ¿Qué no se puede confiar en nadie? ¿Qué la Garduña tiene ojos y oídos* por todos lados?

---

72 *con tanta prisa - *in such a rush*
*ojos y oídos - *eyes and ears*

—A Santa Justa. Vamos a coger el tren a Málaga para visitar a unos amigos —mintió Jimena—. Hace un tiempo fenomenal para la playa.

El taxista las miró de nuevo, pero no respondió. Las dos chicas estuvieron en silencio hasta llegar a la estación de Santa Justa. Cuando llegaron, se bajaron del taxi y Jimena pagó al taxista.

—Gracias, señorita —les dijo el taxista—. Oigan, una cosita. ¡Tengan cuidado en la estación! Siempre hay ladrones en las estaciones de tren.

Entonces, Montse y Jimena se fueron y entraron a la estación a toda prisa. Jimena habló primero:

—¡Qué raro era ese tío! No confío en los taxistas.

—La verdad es que ahora no confío en nadie —respondió Montse.

Montse y Jimena fueron a la taquilla* y compraron los billetes para el tren a Madrid. Tuvieron suerte... había un AVE, el tren de alta velocidad, que salía en media hora. Con el AVE, llegarían* a Madrid en solo unas horas.

---

*la taquilla - *the ticket booth*
*llegarían - *they would arrive*

—Cuando lleguemos a Madrid, podremos ir a casa de mi primo —dijo Jimena—. Pero primero, estoy muerta de hambre. Venga, vamos, tenemos tiempo para comprar unos bocadillos de jamón serrano para el viaje.

Jimena y Montse se fueron a comprar los bocadillos en una cafetería de la estación. Antes de llegar, Jimena paró en una tiendecita y compró dos bufandas de mujer y dos gafas de sol baratas.

—Jimena, ¿qué es todo esto? —le preguntó Montse.

—Disfraces*, Montse. Nos persigue una mafia, ¿verdad? —respondió Jimena.

Montse miró a Jimena con una cara de duda.

—Venga, tía, ponte la bufanda —insistió Jimena—. ¡Es una morada bonita, el color de la familia real!

—Pero hace mucho calor, Jimena —protestó Montse.

—Mira. ¡Tenemos que disfrazarnos y yo no voy a ponerme un bigote postizo*!

Montse sonrió. Jimena siempre podía hacerla sentir mejor.

Se pusieron los disfraces, compraron los bocadillos en la cafetería, y luego caminaron hacia el andén del tren. Presentaron los billetes para pasar por el control de seguridad del AVE. Subieron al tren y se sentaron en sus asientos.

—¿Crees que el señor Figuero nos vio en el taxi? —preguntó Jimena.

74 *Disfraces - *disguises*
*un bigote postizo - *a fake mustache*

Tenemos que disfrazarnos. Nos persigue una mafia, ¿verdad?

—No lo sé. No estoy segura, pero iba justo detrás* de ese hombre que nos atacó en la tienda. Jimena, ese hombre tenía sangre* en la cabeza. Le diste un golpe brutal con la estantería.

—Claro, tía. Así somos las mujeres andaluzas… ¡fuertes! —se rio Jimena—. Mira, Montse, lo bueno es que hemos escapado. Si los hombres nos vieron en el taxi, por lo menos no van a saber adónde vamos.

De repente, los ojos de Montse se abrieron como platos y miró a Jimena con pánico.

---

*Pero iba justa detrás - *but he was right behind*
*sangre - *blood*

—¡Jimena! ¡Espera! Tengo malas noticias. ¿Recuerdas que mi padre quería que yo destruyera la carta*?

—Sí, claro. Dijo que era muy importante.

—Pues, Jimena, no lo hice. Dejé* la carta en la tienda. Estaba tan asustada cuando ese intruso entró que la dejé encima del banco en el cuarto del horno.

—Ay, Montse. ¡Qué mala suerte! —exclamó Jimena—. Entonces, la Garduña puede saber que vamos a Madrid.

—¡Sí, claro! ¡O incluso ellos podrían estar aquí en el tren con nosotras! Jimena, ¿qué hacemos?

Jimena la miró y esperó un segundo antes de hablar.

—Pues, tenemos que seguir, Montse. Tenemos que ir a Madrid de todas formas. No hay otra opción.

***quería que yo destruyera la carta** - *he wanted me to destroy the letter*
***Dejé** - *I left*

El tren se puso en marcha y Montse no habló más. Jimena tenía razón. A pesar del peligro, no había otra opción.

Montse miró a los otros pasajeros. Todo el mundo estaba ocupado con su teléfono menos una mujer. Estaba en el asiento de al lado leyendo un libro de poesía.

«¿Quién lee poesía hoy en día?», pensó Montse.

En ese momento, Montse recordó el poema de su padre. Se lo había metido en el bolsillo en la tienda de cerámica.

—¡Jimena! Casi lo olvido. El poema de mi padre. Lo tengo todavía. Lo guardé en el bolsillo cuando me puse el colgante en la tienda de cerámica.

—¡Claro Montse! El poema del sobre. ¡Venga! ¡Sácalo! Vamos a leerlo. ¡A lo mejor tiene alguna pista* sobre dónde puede estar tu padre!

Montse sacó el poema del bolsillo. Estaba escrito en un pergamino antiguo y venía doblado. Montse lo abrió y las dos chicas empezaron a leerlo juntas.

---

*Lo había metido - *She had put it*
*alguna pista - *a clue*

QUERIDA HIJA:

SABES QUE TE QUIERO MÁS QUE EL UNIVERSO.
¿RECUERDAS LOS DÍAS FELICES QUE PASAMOS
RECREANDO LA OBRA FAVORITA DE TU MADRE?
¡QUÉ FELICIDAD! LOS RECUERDOS NOS JUNTAN
EN LOS MOMENTOS CLAVES DE LA VIDA.
¡NO LOS OLVIDES NUNCA!

MONTSE, TE DEJO ESTE POEMA Y EL COLGANTE
DE TU MADRE COMO GUÍAS. RECUERDA QUE TODO
EN LA VIDA ES UNA CUESTIÓN DE PERSPECTIVA.
SI NECESITAS UNA SOLUCIÓN, CAMBIA LA PERSPECTIVA
Y PODRÁS RESOLVER TODOS TUS PROBLEMAS.

LOS RECUERDOS

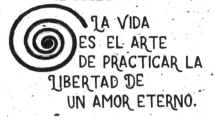

LA VIDA
ES EL ARTE
DE PRACTICAR LA
LIBERTAD DE
UN AMOR ETERNO.

Al terminar el poema, una lágrima corrió por la mejilla de Montse.

—No lo entiendo. Aquí no hay nada. Es solo un poema —dijo Montse—. ¿Cómo vamos a encontrar a mi padre?

—Venga, tía, tranquila —le dijo Jimena, viendo las lágrimas de su amiga—. Tu padre va a estar bien. Ahora, necesitas descansar. Ponte las gafas de sol y duérmete un rato. Nos quedan* unas horas antes de llegar a Madrid. Yo me quedo de guardia.

—Vale, bien —le respondió Montse—. Tienes razón.

Montse guardó el poema y miró por la ventana. Vio el paisaje* de Andalucía pasando a toda velocidad. Los olivos y las fincas pasaban rápidamente como escenas de una película de acción.

---

*Nos quedan - *We have (left, remaining)*
*el paisaje - *the landscape*

Montse pensó en la desaparición de su madre hace tantos años. Pensó en lo que su padre había escrito en la carta, que ella había ido para hablar con un cliente rico, un hombre con un ojo verde y otro marrón.

De repente, en su mente apareció la cara del señor Figuero saliendo del mercado, con el reflejo del sol en su ojo de cristal. Pensó en la clase de esa mañana y recordó el color del ojo de cristal perfectamente... era marrón.

«¿De qué color era el ojo original?», se preguntó.

Nada tenía sentido, y estaba tan cansada. Jimena tenía razón*, tenía que dormir.

Se puso las gafas de sol y miró por la ventana, observando el paisaje otra vez. Los cristales de las gafas hacían parecer todo más oscuro, como si una sombra inmensa cubriera* el mundo. Parecía como uno de esos cuadros antiguos que le encantaban a su madre, un cuadro misterioso con la pintura ya oscura.

Entonces, Montse pensó en su madre jugando con ella en la tienda de antigüedades, cerró los ojos y se durmió.

*__tenía razón__ - *was right*
*__cubriera__ - *was covering, covered*

Procura que los sueños se vuelvan metas y no que se queden en sueños.

—Diego Rodríguez de Silva y Velázquez

Capítulo nueve

LOS TRIÁNGULOS

*E*l tren corría hacia Madrid y Montse empezó a soñar.
Estaba otra vez en la tienda de antigüedades con sus
padres, Jimena y la vecina
Carmen. Montse tenía siete
años y llevaba* un disfraz de
princesa. Jimena estaba a su
lado y llevaba un vestido elegante también. Había unos
maniquíes colocados* alrededor de la tienda y un perro de
peluche* en el suelo.

*llevaba - *was wearing*
*colocados - *placed*
*perro de peluche - *stuffed animal (dog)*

Sus padres estaban estudiando una foto de *Las meninas*, el famoso cuadro de Diego Velázquez, y colocando* a las personas y los maniquíes en diferentes posiciones para recrear la imagen.

Cuando no había nadie en la tienda, a sus padres les encantaba replicar pinturas famosas. La recreación en vivo de *Las meninas* era la favorita de las niñas.

—¡Vamos, todos! —dijo su madre sonriendo—. Esta pintura fue la obra maestra* de Velázquez. ¡Nuestra recreación también tiene que ser perfecta!

La pintura mostraba una escena de la familia del rey Felipe IV en el estudio del artista. Para recrearla, todos tomaban turnos disfrazándose como los personajes de la pintura.

Esta vez, su madre estaba disfrazada como Velázquez. Tenía unos pinceles de artista y llevaba un bigote postizo. Carmen llevaba un disfraz de un señor noble y también tenía un bigote postizo. Todo el mundo estaba riendo y pasándolo bien.

—¡Tenemos que ser más nobles! ¡Más como la familia real! —dijo su padre—. Montse, ponte allí, en el centro. Jimena, ponte a la derecha y un poco más al fondo. Un poco más... ¡ahí! ¡Perfecto!

—Velázquez era el pintor de la corte de Felipe IV en Madrid —explicó su madre—. Sin embargo, era de Sevilla

---

*colocando - *arranging, placing*
*obra maestra - *masterpiece*

Las meninas de Diego Velázquez

como vosotras. Tenía alma* sevillana y *Las meninas* fue su obra maestra.

—¡Y esta recreación es nuestra obra maestra! —declaró Montse.

*alma - *soul*

—¡Claro que sí! —respondió su mamá—. Observad la escena bien, chicas. ¡Es muy misteriosa! ¿Dónde están las personas? ¿Qué están pensando? Velázquez incluyó muchas figuras con secretos en esta pintura, incluso un perro dormido.

—¡Me encantan los perros! —dijo Montse mirando el perro de peluche.

—¡A mí también, hija! Son muy lindos, y muy fieles también. Montse, recuerda que los perros no hablan así que siempre guardan nuestros secretos más importantes.

Ahora, la madre de Montse tomó el perro de peluche, lo levantó y habló con voz de película de suspense.

—¿Cuál es el mensaje secreto de *Las meninas*? ¿Quién lo sabe? ¡El perro sabe, pero no habla nunca! —dijo Magdalena.

Todos se rieron, y Magdalena puso el perro de peluche otra vez en el suelo, a la izquierda de Montse.

—¿Y yo? ¿Dónde me pongo? —interrumpió Carmen.

—Más al fondo*, Carmen —dijo Miguel—. ¡Allí en la puerta! Un poco más... ¡perfecto! Hay que formar los triángulos del cuadro bien!

Magdalena hizo la forma de un triángulo con sus manos y miró a Montse y a Jimena.

—¡Claro! ¡La importancia de los triángulos misteriosos! Chicas, ¿podéis ver* cómo los personajes del cuadro forman triángulos? Los artistas usan los triángulos para guiar* el

---

***Más al fondo** - *more to the back (background)*
*¿**podéis ver...** ? - *Can you see? (vosotros)*
***guiar** - *to guide*

ojo a las partes importantes del cuadro. Es una manera de conectar a los personajes también.

—¡Sí! ¡Como nosotros! ¡Estamos conectados para siempre! —respondió la joven Montse.

—¡Claro! Las meninas es una obra maestra de perspectiva, pero también es una gran adivinanza*. ¿Dónde estamos nosotros? ¿Cuál es el secreto del cuadro? ¡Tienes que cambiar la perspectiva para resolver todos los misterios!

—¡Todo es una cuestión de perspectiva! —declaró su padre riendo.

«Adivinanza... triángulos... perspectiva.»

Montse se despertó, volvió a la realidad de un salto y sujetó el brazo de Jimena.

—¡Claro! ¡Es una adivinanza! —dijo Montse.

—¿Qué? ¿Adivinanza? Montse, estabas soñando*. Has dormido casi tres horas.

—Sí, Jimena, estaba sonando con la tienda y ya tengo la respuesta. Sé cómo encontrar a mi padre.

—¿Qué dices? ¿Cómo?

—Bueno... no lo sé exactamente, pero creo que el pergamino esconde una adivinanza de mi padre. En mi sueño mis padres hablaban de triángulos y perspectivas.

—¡Claro, Montse! ¡El colgante del sobre de tu padre! ¡El colgante tiene la forma de un triángulo!

88 —————————————
*adivinanza - *riddle*
*estabas soñando - *you were dreaming*

Montse se quitó el collar del cuello y lo examinó. El colgante estaba hecho de plata y no parecía especial de ninguna manera. Montse sacó el pergamino con el poema y lo puso en la mesa frente a ellas.

—En el sueño, estábamos en la tienda recreando *Las meninas* de Velázquez. ¿Lo recuerdas? —preguntó Montse.

—¡Claro que sí! Me encantaba ese juego.

—En la carta, mi padre escribió «recuerda la obra favorita de tu madre». Creo que es una pista. ¡Este pergamino es una adivinanza y este colgante es la clave*!

—¿Pero por qué escribió una adivinanza?

—Mira, Jimena. Mi padre no pudo decirnos en la carta el lugar exacto de Madrid donde encontrarnos por si acaso la Garduña la encontraba, ¿verdad? Por eso, escribió una adivinanza, para decirnos en secreto dónde estaría en Madrid. ¡Y este triángulo es la clave!

Montse examinó el colgante de nuevo, y después de un segundo, lo colocó encima del pergamino. Empezó a mover el triángulo por encima de las letras buscando el mensaje secreto de su padre. Movió el triángulo arriba, abajo, a la izquierda y a la derecha. Después de un buen rato, dejó de mover* el triángulo y miró a Jimena.

—No lo comprendo, Jimena. No veo nada. Tiene que estar aquí, pero no lo veo.

***la clave** - *the key, the answer*
***dejó de mover** - *she stopped moving*

—Montse, dame el pergamino un segundo. ¡No soy muy buena con las adivinanzas, pero he visto más películas de misterio que tú!

Montse se lo dio y Jimena lo examinó durante unos minutos. Montse continuó examinado el poema con ella.

—¡Mira esto! —exclamó Jimena—. Estas dos palabras del texto «Los recuerdos» están subrayadas*, y estas mismas palabras forman el título del poema del pergamino.

—¡Claro! —dijo Montse—. Mi padre escribió «Los recuerdos nos juntan y si necesitas una solución, cambia tu perspectiva.» ¡Esa es la pista! Tenemos que cambiar la posición del triángulo para encontrar el mensaje secreto en el poema.

—¡Venga, Montse! —exclamó Jimena—. Pon el triángulo boca arriba, así*, con las dos puntas arriba. Así... ahora, inténtalo de nuevo.

Montse empezó a mover el triángulo, pero esta vez se concentró en el poema. Las chicas miraban el pergamino buscando el mensaje secreto del padre de Montse.

*subrayadas - *underlined*
*boca arriba así - *upside down like this*

Después de un rato, Montse dejó de mover el triángulo y aparecieron siete letras dentro del interior del triángulo. Las dos chicas levantaron la vista a la vez y se miraron asombradas*.

—¡AQUÍ! ¡Aquí está, Jimena! ¡Mira las letras! —exclamó Montse.

El triángulo estaba encima del poema y dentro del triángulo se veían siete letras encerradas: EL...PRA...D...O.

—¡Es EL PRADO! Mi padre va a estar en el museo del Prado —exclamó Montse.

—¡Shhh, Montse! ¡Que aquí hay más gente! —susurró Jimena con los ojos bien abiertos.

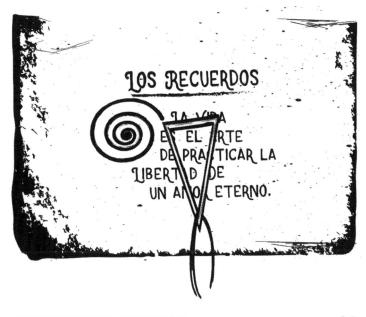

La mujer de al lado con el libro de poesía levantó la vista y miró a las dos chicas. Sacó su teléfono y empezó a escribir un mensaje.

«Próxima estación, Atocha RENFE» —sonó el altavoz del tren.

—Venga, Montse. Casi hemos llegado a Madrid —susurró Jimena—. El museo está muy cerca y solo son las siete y media. Si tenemos suerte, podremos* entrar esta noche y buscar a tu padre.

El tren llegó a la estación de Atocha en Madrid unos minutos después. Montse y Jimena se cubrieron la cara con las bufandas y se pusieron las gafas de sol. Se levantaron y se bajaron del tren sin hablar más.

Empezaron a caminar hacia las escaleras mecánicas para salir del andén* cuando, de repente, Montse se detuvo y agarró del brazo a Jimena.

—¡Jimena! ¡Mira allí arriba! —le dijo Montse haciendo un gesto hacia la parte alta de las escaleras mecánicas.

Arriba, había un grupo de policías bloqueando la salida del andén. Estaban revisando los papeles de los pasajeros.

Montse y Jimena podían ver a dos hombres hablando con la policía. Uno llevaba un traje gris y gafas de sol. El otro hombre era más grande, y también llevaba un traje gris. Tenía una barba negra y una venda* en la cabeza.

*podremos - *we will be able to*
*andén - *the train platform*
*una venda - *a bandage*

—¡No me lo creo! —exclamó Jimena—. Es el detective raro que estaba en la tienda de tu padre en Sevilla.

—Sí, el detective Franco. Y el otro con la barba tiene que ser el intruso al que golpeaste en la tienda de cerámica. ¡Jimena, estamos atrapadas!

En ese momento, Montse y Jimena escucharon la voz de un hombre detrás de ellas.

—Sí, y parece que no hay escapatoria, ¿verdad, señoritas? —dijo el hombre.

Jimena se dio la vuelta para ver quién hablaba, pero Montse se quedó* paralizada por el miedo. Reconocía esa voz... la tenía grabada* en su memoria. Era la voz de su profesor, el señor Figuero.

---

*se quedó - *remained*
*grabada - *recorded*

Capítulo diez

TRUCOS DE VIEJO

Montse se dio la vuelta y vio la cara de su profesor de historia del arte. No podía hablar.

—¡Señor Figuero! ¡Vaya! ¡Qué sorpresa! ¿Qué hace usted aquí en Madrid? —le preguntó Jimena con voz inocente.

—Venga, señorita. No hay tiempo para juegos —respondió Figuero—. Ustedes están en peligro. Las puedo ayudar, pero no hay tiempo. Si vienen ustedes conmigo, podré* salvarlas.

Figuero se dio la vuelta y se escondió detrás de una columna del andén. Les hizo un gesto para que se acercaran*. Montse y Jimena se miraron. ¿Qué otra opción tenían? La policía estaba arriba, bloqueando la salida. Estaban atrapadas.

---

*podré - *I will be able to*
*para que se acercaran - *for them to come closer*

Por eso, fueron
detrás de la columna
con el señor Figuero.

—Señoritas, aquí yo no soy el enemigo. He venido
para ayudar.

—¡Pero usted nos atacó en la tienda de cerámica! —le
acusó Jimena.

—Yo no las ataqué —protestó Figuero.

—¡Pero estaba usted con el intruso en la entrada del
mercado! —insistió Jimena.

—¡Qué va! ¡No estaba con él! Fui a la tienda para
ayudarlas. Desafortunadamente, llegué demasiado tarde.
Cuando llegué a la calle Alfarería, las vi a ustedes huyendo*
de él y las seguí* hasta el mercado.

Montse y Jimena se miraron de nuevo. ¿Entonces, el
señor Figuero no estaba con la Garduña?

---

*huyendo - *running away from*
*las seguí - *I followed you*

—¿Pero cómo supo usted* que estábamos en la tienda? —le preguntó Montse.

—Señorita Sánchez, soy amigo de su padre desde hace muchos años. Él me llamó antes de huir de Sevilla.

—¡¿Mi padre le llamó?! ¿Qué sabe usted de mi padre? ¿Dónde está?

—Lo siento, pero no sé dónde está. Cuando me llamó, me dijo que usted estaba en peligro. Me dijo que seguramente iría a la tienda de su amiga, la tienda de cerámica. Él quiso que yo fuera* allí para buscarlas. No me dijo nada más.

 Montse no tenía tiempo para pensar. Miró hacia arriba y vio al detective Franco hablando con el intruso de la tienda. No tenía otra opción que confiar en Figuero.

—Está bien —dijo Montse—. ¿Pero cómo vamos a escapar? La policía tiene la salida bloqueada.

—Tengo un plan. Escúchenme bien —respondió Figuero—. Primero voy a subir por las escaleras y a crear una distracción. En ese momento, ustedes podrán pasar* por el control de policía con las caras cubiertas con las bufandas.

*¿Pero cómo supo usted... ? - *But how did you find out (know)?*
*Él quiso que yo fuera - *he wanted me to go*
*podrán pasar - *you will be able to get by (pass by)*

—¿Pero qué tipo de distracción va a crear usted?

—No se preocupen por eso. Los viejos tenemos trucos*. Después de pasar, váyanse al jardín tropical de la estación y espérenme allí. No hablen con nadie. Ahora es el momento, pónganse las bufandas y síganme.

El señor Figuero salió de detrás de la columna y caminó hacia las escaleras. Montse y Jimena esperaron un instante, se subieron las bufandas y le siguieron.

Los pasajeros todavía estaban saliendo del tren y había cientos de personas en el andén.

Montse y Jimena empezaron a caminar detrás de dos turistas que hablaban en inglés. Sus mochilas eran enormes, y las dos chicas estaban bien escondidas fuera de la vista* de la policía.

El señor Figuero se montó en las escaleras mecánicas y empezó a subir. Arriba, el detective Franco todavía estaba hablando con el intruso de la tienda y los policías estaban revisando los papeles de un pasajero. Montse y Jimena, detrás de los dos turistas, también se subieron las escaleras.

Después de unos largos segundos, el señor Figuero llegó a la parte alta de las escaleras. De repente, se cayó al suelo, se cubrió la cara con las manos y empezó a gritar:

—¡Ay! ¡Mi ojo! ¿Dónde está mi ojo? ¡Ayuda! ¡He perdido el ojo!

---

*trucos - *tricks*
*fuera de la vista - *out of sight*

Montse y Jimena lo miraron sorprendidas desde su escondite, detrás de las mochilas de los dos turistas. Figuero tenía una mano tapándose la cara y estaba de rodillas* en el suelo buscando el ojo perdido.

Un policía se acercó y sujetó el brazo del señor Figuero.

—¡Señor! ¡Aquí no se puede parar! ¡Levántese, señor! —le ordenó el policía.

La gente empezó a mirar a Figuero, y el policía le tiró bruscamente del brazo. Figuero se quitó la mano de la cara y se podía ver un espacio vacío donde antes estaba el ojo de cristal.

—¡Se me cayó el ojo! ¡Ayúdeme! —gritó Figuero.

—¡Déjele en paz*! —gritó un pasajero—. ¡El hombre no tiene un ojo!

—¡Qué barbaridad! —gritó otro—. ¡Suéltelo! ¡Ayude al pobre hombre!

—¡Hey man... let him go! ¡He lost his eye! —gritó uno de los turistas.

Los dos turistas de las mochilas grandes empezaron a discutir con el policía. El policía soltó al señor Figuero para discutir con los turistas. Los otros pasajeros empezaron a buscar el ojo perdido.

En ese momento, Montse y Jimena aprovecharon la confusión y pasaron por detrás.

*estaba de rodillas - *on his knees*
*¡Déjele en paz! - *Leave him alone! (in peace)*

¡Aquí no se puede parar!

Caminaron a toda prisa en dirección a las otras escaleras mecánicas que bajaban hasta el jardín tropical de la estación. Antes de entrar, pudieron escuchar al señor Figuero gritando todavía.

—¡Ay, por Dios! ¡Suélteme*! ¡Mi ojo, mi ojo! ¿Dónde está mi pobre ojo?

Montse y Jimena entraron en el jardín de la estación. Se fueron a un pasillo entre las plantas grandes donde había menos gente y se sentaron en un banco* para esperar al señor Figuero.

---

*¡**Suélteme!** - *Let me go!*
*__banco__ - *bench*

—¿Has visto eso? ¡Ha tirado su ojo! —susurró Jimena—.

—No esperaba eso tampoco* —respondió Montse—. ¡Está totalmente loco! Jimena, ¿Qué hacemos ahora?

—Tenemos que esperar al señor Figuero.

—¿Qué dices? Yo no confío en él.

—Mira, Montse, es un tío muy raro, pero nos ayudó a escapar. Recuerda que es profesor de historia del arte. Nos puede ayudar en el museo.

El señor Figuero llegó unos minutos más tarde, y les hizo un gesto para que lo siguieran. Los tres salieron de la estación a la calle, cruzaron* la avenida y entraron en una bocacalle.

El señor Figuero se detuvo y miró a las chicas. El ojo de cristal ya estaba de nuevo en su cara.

*No esperaba eso tampoco - *I didn't expect that either*
*cruzaron - *they crossed*

—¿Qué les pareció chicas? Un buen truco, ¿verdad?

—Pero usted tiró su ojo al suelo. ¿No está estropeado*? —le preguntó Jimena.

—¡Qué va! ¡No tiré nada! El ojo estuvo en mi bolsillo todo el tiempo. Fue un buen truco, ¿verdad? —les sonrió el señor Figuero.

Montse y Jimena le miraron sin responder. La sonrisa del señor Figuero desapareció ante el silencio de las dos chicas.

—Bueno… pues nada —continuó el señor Figuero menos animado—. Vamos a seguir la búsqueda*. Ahora, señorita Sánchez, ¿dónde está su padre?

Montse esperó un instante, miró a Jimena pero no respondió a Figuero.

—Creemos que está en el Museo del Prado —dijo Jimena.

—Bien. Pues, vamos allí inmediatamente —dijo Figuero recuperando el ánimo*—. Podemos entrar por la Puerta de Goya. Está a diez minutos de aquí, pero no tenemos mucho tiempo. Son las siete de la tarde y el museo está a punto de cerrar.

---

*estropeado - *ruined*
*seguir la búsqueda - *continue the search*
*ánimo - *spirit*

Salieron de la bocacalle y caminaron por el Paseo del Prado hacia el famoso museo de Madrid. Dejaron* el Real Jardín Botánico a la derecha y luego la Puerta de Velázquez. Finalmente, llegaron a la Puerta de Goya y entraron directamente a la gran sala del museo.

—¿Adónde vamos ahora? —preguntó el señor Figuero mirando a las chicas.

Montse y Jimena se miraron de nuevo. La verdad es que no lo habían pensado. El Museo del Prado era enorme, el museo más grande de España. ¿Cómo iban a encontrar al padre de Montse allí?

—Montse, tenemos que encontrar *Las meninas* de Velázquez —dijo Jimena—. Tu padre dijo que era el cuadro favorita de tu madre.

—No... allí no —respondió Montse lentamente—. Él no estará en la sala de *Las meninas*. Tenemos que ir a las pinturas de Goya. Todo esto empezó con el secreto de Goya. Si mi padre está en el museo, estará allí* con Goya... seguro.

*Dejaron - *they left behind*
*estará allí - *he will be there (must be there)*

No hay reglas en el arte.

—Francisco José de Goya y Lucientes

Capítulo once

BAJO LA CAPA SUPERFICIAL

Hubo un momento de silencio mientras Montse y Jimena buscaban la manera de llegar a las pinturas de Goya. Figuero rompió el silencio.

—Yo sé cómo llegar. Las pinturas de Goya están al otro lado del museo. ¡No hay tiempo que perder! ¡Vamos!

Los tres caminaron deprisa por los largos pasillos* del Prado. Vieron la gran sala de *Las meninas* a la izquierda. Allí, en la sala*, había un grupo de turistas frente a la obra maestra de Velázquez escuchando al guía oficial del museo. Montse pensó en su padre... los triángulos... los mensajes secretos de su madre.

---

*pasillos - *halls, corridors*
*sala - *exhibition room*

Por fin, llegaron al otro lado del museo y entraron en una sala de Goya con una gran pintura de una familia real*. Otro guía estaba explicando la pintura a un grupo de turistas aburridos. Había un banco vacío en medio de la sala.

—Tengo que sentarme un rato —dijo Montse—. Necesito pensar.

Montse fue al banco y se sentó para pensar. El señor Figuero la siguió y se sentó también. Jimena se quedó de pie* escuchando al guía mientras buscaba al padre de Montse entre los turistas.

---

*una familia real - *a royal family*
*se quedó de pie - *remained standing*

—... y Goya pintó a la familia real de Carlos IV antes de la invasión napoleónica del año 1808... —entonaba el guía a los turistas mirando sus teléfonos.

La familia de Carlos IV

Montse pensaba en todo lo que había ocurrido aquel día. Hacía solo unas horas* estaban en clase con el señor Figuero. Ahora huían de la Garduña y todavía no sabían cómo encontrar a su padre. Su vida era como un rompecabezas*, pero no podía poner todas las piezas juntas.

*Hacía solo unas horas - *Just a few hours ago*
*un rompecabezas - *a puzzle*

Montse necesitaba respuestas. Levantó la vista y miró al señor Figuero.

—¿Cómo es que usted conoce a mi padre? —le preguntó Montse.

—Yo era profesor de historia del arte en Madrid —le respondió Figuero. —Tu madre fue alumna mía. La ayudé con su beca* de investigación sobre la obra de Goya. Montse, tus padres y yo éramos buenos amigos.

Montse notó que el señor Figuero había empezado a hablar con un tono más informal... más de amigos.

—¿Usted fue el profesor de mi madre? Mi padre nunca me habló de usted —le dijo Montse ignorando el tono informal de su profesor.

—Es porque nuestra amistad siempre fue un secreto. Miguel me contó lo que pasaba con la Garduña en Madrid, cómo tus padres tuvieron que huir a Sevilla. Luego, cuando empezaste las clases en la Universidad de Sevilla, tu padre quiso que alguien estuviera allí para vigilarte*. Por eso, empecé a trabajar allí como profesor, para protegerte de la Garduña.

Montse pensaba en lo que el señor Figuero acababa de decir. Era verdad que su padre había mencionado la beca de su madre en la carta.

—Ahora, Montse, ¿crees que tu padre está aquí? —preguntó Figuero interrumpiendo sus pensamientos.

---

*su beca - *her scholarship*
*estuivera allí para vigilarte - *was there to watch over you*

Montse le miró sin responder. No sabía qué hacer. Nada tenía sentido. Mientras lo pensaba, vio a Jimena todavía escuchando al guía.

—Muchos historiadores han comparado este cuadro de la familia de Carlos IV con la obra maestra de Velázquez, *Las meninas* —continuó el guía—. Al fondo, dentro de las sombras, podemos ver la misteriosa figura del artista... ¡Francisco de Goya y Lucientes!

El guía hizo una pausa dramática, pero el grupo de turistas no reaccionó. Miraban sus teléfonos sin prestarle atención. El guía buscó una señal de interés, pero... nada. Lo intentó una vez más.

—Y ahora, vayamos todos a la sala de las *Pinturas negras* de Goya. Allí, podremos ver sus obras más oscuras, reflejos de un período de sufrimiento y locura*.

Nadie en el grupo reaccionó, pero el guía no se rindió*.

—¡Las pinturas son una auténtica pesadilla! Síganme ustedes, por favor.

El guía hizo un gesto a los turistas y caminó hacia la salida. El grupo le siguió, todavía mirando los teléfonos.

«Las pinturas negras… pesadillas y sufrimiento», pensaba Montse. Entonces, miró al señor Figuero.

—¡Claro! Mi padre tiene que estar en la sala de las *Pinturas negras*. Él escribió que Goya había escondido el secreto

*__sufrimiento y locura__ - *suffering and madness*
*__no se rindió__ - *didn't give up*

de la poción cuando sufría de locura. La respuesta tiene que estar en esas pinturas. ¡Jimena! ¡Vámonos!

Montse se levantó, tomó el brazo de Jimena y empezó a seguir al grupo de turistas que iba hacia la sala de las *Pinturas negras*. El señor Figuero las siguió. Mientras caminaba, Montse le explicaba a Jimena su teoría de las *Pinturas negras*.

Llegaron a la sala detrás del guía con su grupo de turistas aburridos. Montse y Figuero empezaron a buscar a Miguel entre las personas que había en la sala, pero Jimena se quedó escuchando al guía.

—Todas estas pinturas vienen de la Quinta del Sordo, la famosa finca* de Goya —explicó el guía—. Goya pintó las *Pinturas negras* directamente en las paredes de su casa. Años después, estos murales fueron trasladados a lienzos* y ahora están aquí en esta sala famosa del Prado.

LA QUINTA DEL SORDO

---

*finca - *farm, ranch*
*fueron trasladados a lienzos - *they were transferred to canvases*

El guía se paró frente a un cuadro. En el cuadro, se veía una mujer vestida de luto*. Llevaba un vestido largo y un velo negro. Los turistas todavía no le prestaban atención.

Una manola: Leocadia Zorrilla

*vestida de luto - *dressed in mourning*

—Esta misteriosa obra es *Una manola: Leocadia Zorrilla.* Observen ustedes el vestido de luto y el velo negro. Es triste, ¿verdad? Pues, hay otra realidad escondida bajo las capas* de pintura. Debajo… ¡hay un gran secreto!

El guía hizo otra pausa dramática, pero los turistas continuaron mirando sus teléfonos. Sin embargo, Jimena ahora escuchaba atentamente. El guía continuó explicando.

—Usando rayos X, los conservadores del museo han encontrado otra versión escondida bajo la capa superficial. Una versión más alegre. ¡Parece que las apariencias engañan y el arte puede esconder secretos! —terminó el guía con una voz dramática.

En ese momento, Jimena abrió los ojos como platos y una gran sonrisa apareció en su cara. El guía sonrió también, contento por fin de ver una señal de vida en su grupo.

—¡Gracias, señor! —dijo Jimena.

—¡Gracias a usted, señorita! Además, la historia de este cuadro es muy interesante. En 1819, Goya…

Jimena se dio la vuelta para irse.

—¡Oiga señorita! ¡Espere! ¡Hay más historia!

Pero Jimena ya no escuchaba al guía y se fue* a hablar con Montse al otro lado de la sala.

—¡Oye, Montse! ¡Tengo una idea! ¡Está bajo la capa superficial!

---

*las capas - *the layers*
*se fue - *she left*

—¿La capa superficial? ¿De qué hablas? —respondió Montse confundida.

—Si Goya escondió un mensaje en estos cuadros, puede estar escondido debajo de una de las capas de pintura.

—¿Qué? ¿Cómo?

—Piénsalo, Montse. Goya pintó estos cuadros hace siglos* y ahora tienen múltiples capas de pintura. El guía explicó que los conservadores del museo han usado rayos X para ver lo que se esconde debajo de estas capas de pintura. Podría ser que el secreto de la fórmula esté allí.

—Mmm... es posible —dijo Figuero escuchando al lado.

—Vale, bien —respondió Montse—. ¿Pero dónde vamos a encontrar una máquina de rayos X? ¿Y cómo vamos a usarla aquí en el Prado sin ser vistos?

La sonrisa de Jimena desapareció. No tenía una respuesta. No sabía qué decir.

—No os preocupéis*, chicas. Puedo conseguir esa máquina —dijo Figuero.

—Pero, ¿cómo? —le preguntó Montse.

—Recuerda que soy un experto en arte… ¡y en trucos! —le respondió Figuero con una sonrisa—. Tengo amigos que trabajan aquí en el museo. Chicas, ¡esperadme* aquí!

Figuero se dio la vuelta y desapareció sin decir una palabra más. Montse y Jimena se miraron otra vez.

*hace siglos - *centuries ago*
*No os preocupéis - *Don't worry (vosotros)*
*esperadme - *wait for me (vosotros)*

Montse estaba agotada*. Había sido un día muy largo y todavía no había ninguna señal de su padre.

—Jimena, ¿crees que vamos a encontrar a mi padre?

—Claro que sí. Si encontramos el secreto de la fórmula, vamos a encontrar a tu padre. Montse, tranquila. Eres como mi hermana. ¡Vamos a hacer esto juntas!

La verdad es que Montse siempre había considerado a Jimena como una hermana. Con ella, se sentía mejor, incluso en los momentos más difíciles, y ahora era, sin duda, un momento difícil. Las dos chicas se abrazaron*.

Después de unos minutos, el señor Figuero volvió y les habló en voz baja:

—Bien. Todo arreglado. Tendréis que esconderos hasta que el museo cierre. Yo iré a por la máquina de rayos X. ¡Venga! El museo está a punto de cerrar. ¡Vámonos!

Los tres salieron de la sala a toda prisa. Figuero iba primero. Entraron por un pasillo estrecho, pasaron por otra sala y por fin llegaron a una puerta blanca.

Figuero sacó una llave* y abrió la puerta. Dentro, las chicas podían ver escobas, cubos y otros artículos de limpieza.

*agotada - *exhausted, worn out*
*se abrazaron - *hugged each other*
*una llave - *a key*

—Venga, adentro —les ordenó Figuero—. Este es el sitio para esconderos. Regresaremos* a la sala de las *Pinturas negras* cuando cierre el museo y no haya más turistas.

Las chicas se miraron de nuevo. No querían entrar en aquel cuarto oscuro.

—Venga —dijo Figuero—. Confiad en mí*.

Las chicas tampoco querían confiar en él, pero ¿qué otra opción tenían? Montse y Jimena entraron sin decir una palabra. Figuero cerró la puerta detrás de ellas. La luz se apagó y las chicas escucharon el «¡CLIC!» de la llave en la cerradura*.

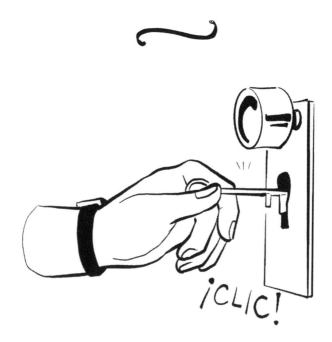

*Regresaremos - *We will return*
*Confiad en mí - *Trust me (vosotros)*
*la cerradura - *the lock*

El acto de pintar se trata de un corazón contándole a otro corazón dónde halló su salvación.

—Francisco José de Goya y Lucientes

Capítulo doce

LOS PERROS NO HABLAN

La oscuridad era absoluta dentro del pequeño cuarto de limpieza. Montse y Jimena tuvieron que esperar lo que les pareció una eternidad.

—Jimena. Tengo miedo —susurró Montse.

—Yo también. ¡Pero por lo menos no necesitamos estos disfraces ridículos! —le respondió Jimena tirando las bufandas y las gafas de sol al suelo.

Las dos amigas se callaron* y esperaron en silencio. Después de una eternidad, escucharon pasos afuera y una llave girando en la cerradura. La puerta se abrió y vieron a Figuero. Sostenía* una máquina negra en las manos.

*se callaron - *went quiet (stopped talking)*
*Sostenía - *He was holding*

Hizo un gesto para que lo siguieran en silencio. Montse y Jimena salieron del cuarto y los tres regresaron a la sala de las pinturas negras. Figuero se paró y les mostró la máquina negra que llevaba en la mano.

—¡Voilà! Una máquina de rayos X.

—Pero, ¿cómo es posible…? —preguntó Jimena.

—Les dije que tengo amigos aquí en el museo. El Prado es como mi segunda casa. Conozco a todos los guardias.

Figuero sonrió y levantó la máquina de rayos X. Montse y Jimena podían ver una pantalla gris* y un panel de control con varios botones.

—Los guardias usan estas máquinas portátiles para controlar los vehículos que entran y salen del museo. No es el mismo tipo de máquina que las de analizar las pinturas, pero podría funcionar.

Figuero encendió* la máquina y la pequeña pantalla se iluminó con una luz débil. Ajustó los botones y apuntó la máquina a la mano de Montse. Se veían los huesos de Montse en la pantalla.

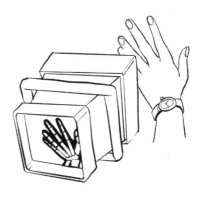

---

*una pantalla gris - *a gray screen*
*encendió - *turned on*

—¡Vaya! Pues, sí funciona —exclamó Jimena—. ¡Montse, pareces un esqueleto de una película de terror!

—Venga —dijo Figuero—. Tenemos que darnos prisa. Los guardias hacen sus rondas de vigilancia cada hora y acaban de pasar por aquí.

Montse miró las pinturas negras en las paredes de la sala. Se veían brujas*, figuras diabólicas y hombres luchando. Parecían pesadillas de una mente atormentada. Eran las pesadillas de Goya.

—Montse, ¿por cuál empezamos? —preguntó Jimena.

La verdad es que Montse no tenía ni idea, pero empezó a caminar por la sala. Pasó frente al cuadro *La Leocadia* con la mujer vestida de luto, luego por el famoso cuadro aterrador de *Saturno devorando a su hijo* y, por fin, llegó al final de la sala. Allí se paró frente a un cuadro y lo observó. Se veían cuatro figuras grotescas flotando en el aire. Figuero miró el cuadro también.

—Claro... *Las parcas*, las hijas de la noche —murmuró Figuero entre dientes*—. Siempre hemos pensado en este cuadro. Tiene que ser este.

—¿Cómo? ¿Qué dice? —le preguntó Jimena.

—Nada, nada. Cosas mías —respondió Figuero—. He dicho que he estudiado este cuadro mucho. Son las parcas, las hijas de la noche.

124 *brujas - *witches*
*murmuró... entre dientes - *he muttered under his breath*

Las Parcas (Átropos)

—¿Quiénes son?

—¡Ah! Es un gran misterio. Goya no dio títulos a las pinturas negras y jamás* explicó a nadie el significado. Pero se cree que ellas son las diosas del destino. La figura en el centro es Láquesis, la diosa que determina la duración de la vida de cada persona. ¿Qué sostiene ella? ¿Una lupa*? ¿Un espejo? Algunos piensan que es una serpiente mordiéndose la cola, un símbolo de la eternidad.

Figuero dejó de hablar y miró a Montse.

—Tienes razón, Montse. El secreto de Goya estará aquí en este cuadro.

Pero Montse no le respondió. Ya no estaba mirando a Figuero. Ahora estaba mirando a otro cuadro a la izquierda.

---

*jamás - *never (nunca)*
*una lupa - *a magnifying glass*

Era un cuadro largo, en el cual se veía un gran espacio marrón y la cabeza de un perro en la parte inferior.

—No, profesor. No es ese cuadro. Es este.

—¿*El perro semihundido?* —preguntó Figuero caminando sorprendido hacia la pintura—. ¡La pintura más enigmática de Goya! ¿Estás segura?

—¿Segura? No... pero tengo un presentimiento. Mi madre siempre me decía que los perros guardan secretos porque no hablan. A lo mejor mi madre me estaba dando una pista.

—Pues, los recuerdos son importantes. Vamos a trabajar —dijo Figuero levantando la máquina de rayos X.

Figuero ajustó los botones de la máquina otra vez y se la dio a Montse.

—Montse, eres tú la que tienes que buscar. Pasa la máquina frente al cuadro, pero ten cuidado. No lo pases demasiado cerca* o las alarmas saltarán.

Montse tomó la máquina de rayos X y miró la pintura. ¿Por dónde debía empezar? Levantó la máquina y empezó a escanear el cuadro. Empezó por la parte superior izquierda. La pantalla mostraba una imagen gris y borrosa*. No se veía nada especial en la pantalla.

Entonces, pasó la máquina por el centro del cuadro y luego por la parte derecha. La pasó por encima del perro,

*demasiado cerca - *too close*
*borrosa - *blurred*

Perro semihundido

por abajo del perro. Pasaba la máquina una y otra vez pero no podía ver nada más que unas sombras que parecían fantasmas.

—No sé. No veo nada —dijo Montse.

—Dame la máquina —dijo Figuero—. Estas máquinas son para los coches. Las capas de pintura son demasiado finas*, pero podemos ajustar la profundidad e intentarlo otra vez.

Figuero tomó la máquina y empezó a manipular los controles. Después de unos segundos, dio la máquina a Montse de nuevo.

—Inténtalo ahora*.

—¡Vamos, Montse! No hay mucho tiempo —dijo Jimena—. Prueba el perro otra vez.

Montse vio los ojos tristes del perro mirando al gran espacio marrón del fondo del cuadro. ¿A qué miraba? Montse siguió la mirada del perro hacia arriba y llegó a la parte derecha del cuadro. De repente, se le ocurrió una idea.

Empezó a escanear de nuevo. Pasó la máquina por la parte del cuadro hacia donde el perro miraba. Esta vez unas líneas en blanco y negro aparecieron en la pantalla. Parecían letras escritas en cursiva.

—¡Aquí! —gritó Montse—. ¡Aquí hay algo!

128
*demasiado finas - *too thin*
*Inténtalo ahora. - *Try it now.*

¡Aquí hay algo!

—¡Vaya! ¡Es verdad! —exclamó Jimena—. ¡Rápido, vamos a sacar fotos de la pantalla!

Jimena y el señor Figuero empezaron a sacar fotos con sus teléfonos de las imágenes en la pantalla mientras* Montse movía la máquina poco a poco por la pintura. Después de unos minutos, tenían varias fotos de las líneas escondidas bajo las capas de pintura.

De repente, escucharon unas voces* hablando fuera de la sala en el pasillo.

*mientras - *while*
*unas voces - *some voices*

—¡Ay, tío! ¡No me digas tonterías*! Ese argentino no
ha marcado ni un gol en tres partidos.

—Claro tío, pero es un genio con el balón. ¡Van a ganar
seguros!

Montse y Jimena se miraron.

—¡Los guardias! —susurró Jimena.

—¡Venga, rápido! —dijo Figuero—. ¡Vámonos de aquí!

Montse apagó la máquina y los tres salieron de la sala a
toda prisa. Entraron por un pasillo estrecho*, cruzaron varias
salas y, por fin, llegaron a la cafetería del museo. Pasaron por
el comedor y entraron a la cocina. Allí, al fondo, había otra
puerta con un cartel que decía «Salida de Servicio», y justo
allí, un guardia esperando. Montse gritó sorprendida.

*¡No me digas tonterías! - *Quit talking nonsense!*
*un pasillo estrecho - *a narrow hall*

—Tranquilas, chicas —dijo Figuero—. Es mi amigo.

Figuero se acercó* al guardia, le dio la máquina y le dijo algo al oído. El guardia miró a las chicas y se fue. Figuero abrió la puerta y los tres salieron al aire libre.

Ya era de noche y no había mucha gente cerca del museo a esa hora. Sin embargo, los tres caminaron deprisa hasta llegar a otra calle más lejos del museo.

—Aquí estamos a salvo* —dijo Figuero parando en una esquina—. Y ahora vamos a estudiar estas fotos. ¡Me parece que el perro de Goya ha revelado su secreto!

Capítulo trece

LA BARRIGA DE BRONCE

Ya lejos del museo, los tres se sentaron en un banco para estudiar las fotos que tenían en sus teléfonos. Jimena usó el zoom para hacer las letras más grandes.

Después de un rato, las letras salieron de la pantalla y pudieron distinguir unas líneas en blanco y negro. Eran como pequeños fantasmas* con un mensaje secreto de otro siglo.

Montse tomó el teléfono de Jimena y leyó las palabras en voz alta.

—Es algún tipo de poema críptico —dijo Jimena.

—Es una adivinanza* —le respondió Montse—. ¿Pero qué puede significar?

*fantasmas - *ghosts*
*una adivinanza - *a riddle*

por la boca de un rey Formidable
El secreto duerme en La barriga
de bronce. si soy pequeño,
adentro entro a un Interior
Por siempre Escondido de Todo
un Remordimiento En Secreto.

135

—El secreto que menciona tiene que ser la fórmula que Goya escondió, la fórmula de la poción de la Inquisición —dijo Figuero mirando el mensaje.

—Y dice que duerme en una barriga de bronce —exclamó Jimena—. Eso puede ser una tumba. ¡Goya escondió la fórmula en una tumba!

—No, no es eso —interrumpió Montse—. No puede ser tan fácil.

Jimena y Figuero se callaron y miraron a Montse. Entonces, Montse pensó en todo lo que su madre le había enseñado sobre arte. Ella siempre hablaba de la importancia de observar los detalles. Hablaba de la necesidad de analizar cada parte visual, sobre todo las partes que destacan.

Montse pensó en los artistas. Goya era pintor, no poeta, y los pintores ven el mundo en términos visuales. En ese momento, tuvo una idea.

Montse se fijó en las formas de las letras en el mensaje. Después de unos segundos de concentrarse bien, algunas letras cobraron vida* y todo se aclaró para Montse. Levantó la vista y miró a Jimena.

—¡Claro! ¡Ya lo tengo! —exclamó Montse—. Aquí está la respuesta a la adivinanza. Observa bien las letras mayúsculas*. Las letras grandes forman un nombre. F...E...L...I...P...E...TRES. ¡El rey Felipe III es la respuesta!

***

cobraron vida - *came to life*
las letras mayúsculas - *the capital letters*

—¡Vaya! ¡Es verdad! —dijo Jimena.

—El rey Felipe III murió en el siglo diecisiete —les explicó Figuero—. Hay una estatua de él en la Plaza Mayor aquí en Madrid. Va montado a caballo.

—¡Claro! Y las letras hablan de una barriga de bronce. Tal vez esa estatua sea* de bronce —dijo Jimena.

—¡Qué irónico! —murmuró Figuero entre dientes—. El lugar infame de los autos de fe* de la Inquisición. Todo este tiempo allí, justo debajo de nuestras narices en la plaza más visitada de España.

---

*Tal vez esa estatua sea - *perhaps that statue is...*
*autos de fe - *"act of faith"* - the Spanish Inquisition trials

—¿Cómo? —le preguntó Jimena.

—Nada, no es nada. Cosas mías otra vez —dijo Figuero—. ¡Venga! Podemos llegar a la Plaza Mayor en quince minutos andando. ¡Vamos!

Comenzaron a caminar rápido por las calles antiguas de Madrid hacia el centro de la ciudad. Después de un buen rato, Figuero giró a la izquierda y siguió por una calle peatonal hasta llegar a un arco en la esquina* de la Plaza Mayor.

A esa hora de la noche, los madrileños ya estaban tomando tapas* en la plaza y disfrutando de la famosa vida nocturna de su ciudad. Nadie les prestaba atención a los tres.

La estatua de Felipe III estaba en el centro de la plaza, sobre un enorme pedestal de piedra. Había una valla* alta de metal alrededor del pedestal.

*__la esquina__ - *the corner*
*__tapas__ - *small portions of food often served with drinks*
*__una valla__ - *a fence*

Los tres se acercaron a la estatua y miraron hacia arriba. El Rey Felipe III iba montado en su caballo con una expresión de arrogancia congelada en el tiempo en bronce.

—Es imposible ver la estatua bien con la valla —dijo Montse—. Necesitamos estudiarla más de cerca.

—Hay demasiada gente a esta hora —dijo Figuero—. Tenemos que volver más tarde. Tengo un amigo que tiene un restaurante cerca de aquí. Podemos esperar allí. Luego podremos volver cuando no haya tanta gente* en la plaza.

—Pues, la verdad es que usted tiene un montón de amigos —dijo Jimena.

Figuero se dio la vuelta sin responder y los tres cruzaron la plaza hasta llegar a otro arco en la esquina opuesta*. Figuero les mostró una puerta.

—Este es el Arco de Cuchilleros. Aquí está el restaurante de mi amigo. Podemos escondernos dentro.

*cuando no haya tanta gente - *when there aren't as many people*
*la esquina opuesta - *the opposite corner*

Bajaron por unas escaleras y llegaron a la puerta del restaurante. Figuero abrió la puerta y los tres entraron en una sala llena de gente.

El techo* del restaurante formaba arcos por encima de los clientes. Las paredes estaban llenas de fotografías y artefactos antiguos. Había jamones serranos colgando del techo y la cabeza de un toro bravo* en la pared.

Los camareros llevaban ropa de otro siglo. Los turistas y madrileños estaban comiendo y pasando una noche de viernes sin preocupaciones. Los camareros les llevaban raciones de tortilla española y de jamón serrano a las mesas.

¿Este es el restaurante de su amigo?

140 *el techo - *the ceiling*
*un toro bravo - *a fighting bull*

—¿Este es el restaurante de su amigo? —preguntó Jimena mirando a los camareros extraños.

—Sí. Antes era un escondite de bandidos. Interesante, ¿verdad? —le respondió Figuero—. Abajo hay una cueva donde está la bodega*. Podemos escondernos allí. Vamos.

Figuero y las chicas pasaron por la sala principal, entraron en la cocina, y llegaron a una puerta de madera. Figuero abrió la puerta. Montse y Jimena pudieron ver unas escaleras* que bajaban a la oscuridad.

—La bodega —les dijo Figuero sin más explicación, empezando a bajar.

Los tres bajaron los escalones de piedra* hasta llegar a otra puerta de madera. Figuero abrió la puerta y miró a Montse y a Jimena.

—Aquí podemos esperar hasta más tarde. Entren —dijo Figuero.

Montse y Jimena entraron en el cuarto oscuro. Al principio, no podían ver mucho. En el centro del cuarto, había una mesa con tres velas, un jamón serrano y un cuchillo largo.

*la bodega - *the wine cellar*
*unas escaleras - *some stairs*
*los escalones de piedra - *the stone steps*

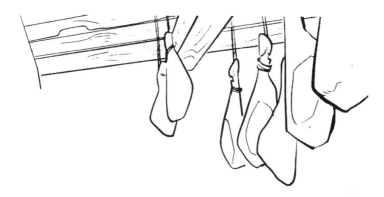

Poco a poco, sus ojos se acostumbraron* a la luz de las velas y podían ver un poco más. Las paredes estaban cubiertas de barriles y había más patas de jamón serrano colgando en el techo.

En ese momento, Montse vio algo extraño. Al final del cuarto había una figura humana en una silla. No se movía... parecía una estatua. Montse no podía ver su cara, pero le reconoció inmediatamente.

—¡Papá! —exclamó Montse corriendo hacia la silla.

De repente, dos hombres salieron de las sombras* para bloquear a Montse. Uno tenía gafas de sol, un traje gris, y un reloj Rolex. El otro tenía una barba negra y una venda en la cabeza.

Montse se paró y los miró sin comprender lo que estaba ocurriendo. Eran el detective Franco y su asistente, el intruso de la tienda. Los dos tenían pistolas.

*se acostumbraron - *got used to*
*las sombras - *the shadows*

—Buenas noches, señorita Sánchez —dijo el detective Franco—. Parece que por fin hemos encontrado a su padre, ¿verdad?

Ahora Montse podía ver que su padre tenía las manos atadas y la boca tapada con cinta adhesiva*. Miguel miraba a Montse en silencio con los ojos abiertos de miedo.

Franco levantó la pistola. Montse lo miró sin comprender. Las velas proyectaban una luz diabólica en la cara del detective.

—Y ahora, —les dijo Franco— vamos a encontrar el secreto que buscamos.

De repente, Figuero se puso entre Franco y las dos chicas. El detective miró al profesor e hizo una pausa.

*cinta adhesiva - *tape*

—Bueno, bueno... el señor Figuero. El viejo profesor de historia del arte —dijo el detective con la pistola ya apuntada a la barriga de Figuero—. Parece que usted también trabaja de guardaespaldas*.

—Mire usted, no queremos problemas —le dijo Figuero con las manos arriba.

—Por supuesto que no. Nosotros tampoco queremos problemas. Solo queremos un poco de información.

El detective y el profesor se miraban cara a cara. Jimena estaba al lado de la mesa con el cuchillo. Montse vio que el matón de Franco también tenía su pistola apuntándoles. ¿Qué podían hacer ellos contra dos hombres con pistolas?

Nadie se movía y solo se escuchaba el suave sonido de las velas en la mesa.

Después de unos segundos, el detective hizo algo inesperado. Empezó a recitar una frase que Montse había escuchado antes. Lo dijo en una voz baja, siniestra, como si estuviera leyendo* una frase de otro siglo.

—Buen ojo, buen oído, buenas piernas...

—... y poca lengua! —terminó Figuero con una sonrisa.

BUEN OJO, BUEN OÍDO, BUENAS PIERNAS Y... POCA LENGUA.

---

*guardaespaldas - *bodyguard*
*como si estuviera leyendo - *as if he were reading*

145

Montse y Jimena no pudieron creer lo que ocurrió después. El detective bajó la pistola y abrazó* al señor Figuero.

Montse y Jimena se miraron con la boca abierta. Figuero y el detective estaban sonriendo.

—¡Compañero! ¡Por fin, juntos otra vez! Tengo un regalo* para la Garduña —dijo Figuero agarrando del brazo a Montse y a Jimena—. Les he traído la respuesta al secreto de Goya.

*abrazó - *hugged*
*regalo - *present*

La fantasía, aislada de la razón, sólo produce
monstruos imposibles. Unida a ella, en cambio,
es la madre del arte y fuente de sus deseos.

—Francisco José de Goya y Lucientes

Capítulo catorce

LA BODEGA DE BANDIDOS

Las sombras bailaban en la pared detrás del detective Franco y su matón. Montse podía ver una sonrisa en la cara del detective. Franco hizo un gesto y el matón tomó los teléfonos de las chicas y volvió al lado de su jefe.

—¡¿Qué?! ¡¿Usted está con ellos?! —exclamó Jimena mirando a Figuero.

—¡Claro que está con nosotros! —dijo Franco sonriendo—. ¡Parece que la experiencia del señor Alberto Figuero en arte es solo superada por* su talento como actor! Venga, Figuero, suéltalas*. No es posible escapar de aquí.

—Lo siento —dijo Figuero soltando a las chicas.

*es solo superada por - *is only surpassed by*
*suéltalas - *let them go*

¡Claro que está con nosotros!

—Pero, no entiendo —protestó Jimena—. ¡Usted vino para rescatarnos* en la tienda de cerámica!

En ese momento, las piezas del rompecabezas empezaron a encajar* para Montse. Podía ver los eventos del día con más claridad: el ataque en la tienda de cerámica, el coche con los cristales oscuros, la extraña casualidad* de que Figuero estuviera en la salida del Mercado de Triana.

—¡Claro! —dijo Montse—. Ahora lo comprendo. Usted no vino para ayudarnos. Usted vino con el intruso a la tienda, ¿verdad? Usted estuvo en el coche negro aparcado enfrente de la tienda.

---

*rescatarnos - *to rescue us*
*encajar - *to fit together*
*la extraña casualidad - *the strange coincidence*

—¡Vaya! Parece que has heredado la inteligencia de tu madre —respondió Figuero—. Pues sí, era yo quien conducía el coche, pero no me viste a causa de los cristales oscuros.

—Pero, usted nos salvó en la estación de tren —protestó Jimena otra vez.

—Tuve que inventar todo eso. Me di cuenta de que Montse me había visto saliendo del Mercado de Triana.

—Pues entonces, todo ha sido una mentira —dijo Montse—. Usted nos ayudó en la estación de Atocha fingiendo* ser nuestro amigo... pero todo fue mentira.

—Fue la única forma de ganarme tu confianza.

—¡Pero también nos ayudó a escapar del museo! —gritó Jimena.

—No, Jimena. No fue así —le explicó Montse—. Eso fue mentira también, ¿verdad, señor Figuero? El guardia de la puerta trabajaba con usted. Era su cómplice*, no su amigo.

—Bueno, me gustaría pensar que todos los miembros de la Garduña son mis amigos. Pero si lo que quieres decir es que no era un guardia inocente, tienes razón.

Las chicas no sabían qué hacer. Montse vio a su padre detrás de Franco, atado en la silla con la boca tapada con cinta adhesiva. Miguel las miraba con los ojos abiertos, pero no podía hablar. No podía hacer nada.

*fingiendo - *pretending*
*cómplice - *accomplice*

Jimena tenía cara de pegar a Figuero, pero no podía hacer nada tampoco... estaban atrapadas. Jimena se apoyó contra la mesa en la que estaba el jamón, y se cubrió la cara con las manos. Empezó a hacer algo que no hacía nunca... empezó a llorar.

—Llevamos años* con agentes infiltrados en el Prado —continuó Franco ignorando a Jimena—. Siempre hemos sospechado que el secreto de Goya estaba escondido allí.

Montse miró a Franco y luego a su padre. Deseaba rescatarle, salir de allí y olvidar esa pesadilla de mafiosos y pociones secretas. Jimena seguía llorando al lado.

—¿Qué quieren ustedes de nosotros? —preguntó Montse.

—Queremos sus recuerdos, señorita Sánchez. Los recuerdos que usted tenga sobre su madre. Su madre era la única persona que conocía la clave* para descubrir el lugar de la fórmula. Siempre sospechamos que le había dejado a usted alguna pista sobre el lugar secreto de la fórmula. Parece que teníamos razón.

---

*llevamos años - *we've spent years with (It's been years that)*
*la clave - *the key to (answer to)*

Montse pensó en la carta que su padre le había escrito, la carta que explicaba la beca de su madre y los problemas que tuvo con la Garduña luego. En ese momento, Montse puso la última pieza del rompecabezas. Figuero era el profesor que le había dado la beca. Levantó la vista y miró a Figuero.

—Usted fue profesor de mi madre —dijo Montse—. Su profesor cuando tenía la beca para investigar sobre Goya. ¡Sabía usted del secreto!

—Sí, Montse, yo era profesor de Magdalena en la Universidad de Madrid. Tu madre fue mi mejor alumna y yo le concedí la beca*. Ella me contó de la existencia de la fórmula de la Inquisición, pero nunca quiso decirme el lugar donde se escondía.

—¡Usted fue quien reveló la existencia del secreto de la fórmula a la Garduña!

—Efectivamente. Fue un gran descubrimiento por parte de tu madre, pero ella no quería compartirlo con el mundo. Tu madre era joven, Montse. No entendía el contrato sagrado* que ella tuvo con la Garduña.

—¿Contrato?

Figuero hizo una pausa, miró a Montse a los ojos y dijo algo que ella no esperaba* nunca.

—Montse, tu madre también era parte de la Garduña.

—¡Otra mentira! ¡No puede ser! —protestó Montse.

*le concedí la beca - *I gave her the scholarship*
*el contrato sagrado - *the secret contract*

Figuero y Franco se miraron. Franco le hizo otro gesto a su matón con la venda en la cabeza. El hombre se acercó y tomó el brazo de Montse. Quitó el reloj de su muñeca y reveló el tatuaje de Montse.

Franco y Figuero también se quitaron* los relojes y cada uno levantó el brazo. Los dos tenían el mismo tatuaje en la muñeca, un tatuaje que Montse reconoció inmediatamente. Era un ojo rodeado de serpientes. Era su tatuaje.

—¡El sagrado símbolo de la Garduña! —dijo Franco—. Señorita Sánchez, su madre se lo hizo* cuando usted tenía menos de un año. ¿Quién crees que pagó su beca? Ella aceptó el dinero de la Garduña... era un contrato sagrado con nosotros. Su madre formaba parte de la Garduña, y usted también es de los nuestros.

—¡Mentirosos! —gritó Montse retirando el brazo—. Mi madre no fue una criminal. ¡Es imposible!

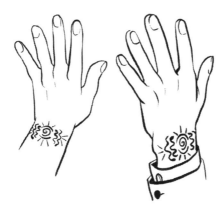

Montse miró por la bodega, buscando un escape de esa pesadilla de mafiosos y sociedades secretas. Su madre había confiado en Figuero y la traicionó. Murió por ese error.

Montse y Jimena habían confiado en Figuero también y ahora estaban atrapados todos. ¿Morirían ellos también?

De repente, una idea se le pasó por la cabeza... una idea terrible. Miró a Figuero.

—Usted mató a mi madre —acusó Montse.

—¿Qué yo maté a Magdalena? —protestó Figuero asombrado—. ¡Nunca hubiera hecho eso!*

—No le creo. Usted es un mentiroso —gritó Montse, pero ella vio la tristeza en los ojos de Figuero.

—Yo la amaba —respondió Figuero.

—¿Usted? ¿Enamorado de mi madre?

—Sí. Yo la amaba. El día que ella desapareció fue el día más triste de mi vida.

Montse le miraba sin comprender. Jimena, al lado, había dejado de llorar* y ahora escuchaba con la boca abierta. Todavía estaba apoyada contra la mesa en la que estaban el jamón y el cuchillo.

—Tus padres y yo fuimos buenos amigos, Montse —continuó Figuero—. Yo estaba enamorado de tu madre, pero ella no me amaba, sólo amó a tu padre.

*¡Nunca hubiera hecho eso! - *I never would have done that!*
*había dejado de llorar - *had stopped crying*

Montse no tenía palabras. No podía imaginar a un joven Figuero enamorado de su madre. Figuero continuó.

—Yo se lo había dado todo a Magdalena... la beca, las conexiones con el mundo del arte, la oportunidad de lograr* su sueño. Pero un día, de pronto, desapareció sin decirme una palabra. Magdalena me traicionó. Se fue con tu padre, ¿no es verdad, Miguel?

En ese momento, Franco le hizo otro gesto a su asistente. El matón de Franco quitó la cinta adhesiva de la boca del padre de Montse. Miguel miró a Figuero, luego a Montse, y entonces habló con una voz cansada.

—Montse, es verdad. Fuimos amigos —dijo Miguel—. Y no, el señor Figuero no mató a tu madre.

Montse no podía creer lo que escuchaba. ¿El señor Figuero y su padre fueron realmente amigos en la universidad? ¿Su profesor estaba enamorado de su madre?

—Pero, ¿qué pasó con mi madre?

—Fue la Garduña —dijo Miguel—. Ellos la mataron.

—Mentira —interrumpió Franco—. Ella desapareció. Somos ladrones, pero no asesinos*. Además, nunca hubo pruebas* de homicidio.

—Es lo que gente como ustedes siempre dicen —dijo Miguel—. Que son inocentes porque no hay pruebas.

---

*lograr - *to achieve*
*asesinos - *killers, murderers*
*nunca hubo pruebas - *There was never proof (evidence)*

Miguel se giró* y miró a Figuero a los ojos. Le habló con una voz cansada.

—Alberto, escucha a un viejo amigo. Yo sé que amabas a Magdalena. Ella te respetaba y te tenía mucho cariño.

—¿Cariño? —respondió Figuero—. Pues, ¿por qué no confiaba en mí? Yo la ayudé tanto.

«¿Alberto?» —pensó Montse mirando a su padre y a Figuero. «¿Mi padre acaba de llamarle* Alberto? ¿Era verdad que eran amigos?».

—Ella nunca te contó dónde se escondía la fórmula porque era demasiado peligroso —continuó Miguel—. Quería protegerte. Sospechaba que la Garduña era capaz de* cualquier cosa... incluso de matar.

Miguel hizo una pausa. Figuero escuchaba a su viejo amigo atentamente. Miguel dijo una sola frase más:

—Alberto, la Garduña mató a Magdalena.

—¡Basta ya! —interrumpió el detective Franco—. No tenemos tiempo para mentiras.

Pero el profesor Figuero ya estaba mirando a Miguel con una expresión de incertidumbre. Parecía que consideraba lo que acababa de oír. Mientras, Jimena, con sus manos en la mesa cerca del cuchillo, los observaba sin hablar.

El detective, viendo la duda en la cara del profesor, rompió el silencio y habló a Figuero:

*se giró - *turned*
*acaba de llamarle - *just called him*
*era capaz de - *was capable of*

—Figuero, esta noche regresaremos a la Plaza Mayor. Abriremos la estatua de Felipe III y por fin tendremos el secreto de Goya. Será su mayor logro en la vida, ¿verdad, Figuero?

Figuero parecía confundido pero asintió con la cabeza sin decir nada más.

—El resto de ustedes van a quedarse aquí en la bodega —continuó Franco—. Si la fórmula no está dentro de la barriga del caballo y lo que hay es otra pista más, los recuerdos de la señorita serán útiles* otra vez.

Franco hizo otro gesto a su asistente. El matón sentó a las chicas en dos sillas al lado de Miguel y las ató* de pies y manos.

—¿Les tapo la boca, jefe? —preguntó el matón.

—No. Déjalas así —respondió Franco—. Aquí abajo en la bodega solo las ratas pueden oirlas.

Figuero, Franco y el matón caminaron hacia las escaleras. El profesor subió pero Franco se paró antes de subir y habló con el matón.

---

*serán útiles - *will be useful*
*las ató - *he tied them up*

—Quédate arriba* en la puerta —dijo Franco—. Si escuchas cualquier grito, mata al padre. A la chica la necesitamos viva.

Franco y el matón subieron los escalones de piedra. Unos segundos después, los tres prisioneros pudieron escuchar a Franco bromear* arriba.

—¡Tranquilos! Tienen las manos atadas. ¡No van a comerse el jamón!

Y con eso, los tres prisioneros escucharon la puerta cerrarse y se quedaron solos en la bodega oscura.

Quédate arriba - *stay above*
bromear - *joking (to joke)*

Quiero ser libre.

—Francisco José de Goya y Lucientes

Capítulo quince

VÍCTIMA DE MENTIRAS

Por un momento, el silencio en la bodega era total. Una rata salió de detrás de los barriles, vio a los tres prisioneros y se escondió de nuevo.

Todo aquello era una pesadilla. Nadie tenía palabras. De pronto, el sonido de una gota* de agua cayendo del techo rompió el silencio.

*una gota - *a drop*

Montse habló primero:

—Papá, ¿por qué nunca me dijiste lo de mamá y la Garduña?

—Hija mía, fue para protegerte —respondió Miguel.

—Pero papá... ¿mamá era... una criminal?

—Tu madre no era una criminal. Se equivocó*, sí, pero nunca fue una criminal.

Miguel veía la confusión en los ojos de su hija.

—Tu madre y yo éramos jóvenes —suspiró Miguel—. Alberto nos convenció de que la Garduña era una sociedad de intelectuales, amantes del arte y la historia. No sabíamos que era una organización criminal.

—¡Entonces, todo esto es culpa* del señor Figuero! —exclamó Montse.

—Montse, en aquellos días, Alberto también era joven. Cuando uno es joven, a veces no tiene la experiencia para

---

*Se equivocó - *she was mistaken*
*culpa - *fault*

reconocer los verdaderos motivos de los otros. Creo que él también lo creía, que la Garduña tenía fines académicos.

—No es justo lo que hizo —protestó Montse.

—Tienes razón, Montse. No es justo, pero tal vez Alberto no sospechara lo peligrosa que es la Garduña. En ese caso, Alberto es otra víctima de sus mentiras. Debemos perdonarle.

Montse notaba el sufrimiento de su padre. La luz de las velas revelaba las arrugas* en su cara, señales de una vida marcada por la tragedia. Y a pesar de todo*, era capaz de perdonar.

Montse pensó en su madre. Giró la cabeza y miró a Jimena. Estaba luchando con las cuerdas que la ataban a la silla. Pensó en cómo Jimena se parecía a su madre en las fotos en la tienda de antigüedades. Tenía los mismos ojos y la misma sonrisa constante. Era valiente, una luchadora.

Jimena continuó luchando con las cuerdas, pero Montse sabía que esta vez no podía hacer nada.

*arrugas - *wrinkles*
*a pesar de todo - *in spite of everything*

Pensó en como los tres iban a cumplir el mismo destino que su madre... desaparecer del mundo para siempre.

Montse volvió a mirar a su padre.

—¿Y por qué nos fuimos a Sevilla? —le preguntó.

—Tu madre y yo nos casamos en Madrid. Allí naciste tú. Éramos pobres, pero felices. Todo cambió el día que tu madre descubrió el secreto de Goya.

—¿Mamá le contó al señor Figuero dónde estaba la fórmula? —preguntó Montse.

—No, el lugar de la fórmula no, pero sí que había descubierto algo sumamente* importante sobre Goya. Eso fue suficiente para la Garduña.

—¿Qué hicieron ellos?

—Poco después, llegaron unos desconocidos y empezaron las amenazas*. No nos dejaban en paz*. Pronto, nos dimos cuenta de que eran peligrosos. Una noche, sin decírselo a nadie, nos escapamos a Sevilla. Cambiamos nuestros nombres y empezamos una vida nueva allí.

*sumamente - *extremely*
*las amenazas - *the threats*
*No nos dejaban en paz - *they wouldn't leave us alone (in peace)*

—¿Y cómo murió mamá?

—No lo sé. ¿Pero recuerdas la carta que te escribí? Siempre he sospechado que aquel cliente rico de Madrid la mató.

—¡El cliente! En la carta escribiste que el cliente tenía los ojos raros. Pues, el señor Figuero tiene un ojo de cristal. ¿El señor Figuero fue el cliente?

—Tu madre dijo que el cliente de Madrid tenía un ojo de cada color*, uno verde y el otro marrón. No habló de un ojo de cristal y nunca mencionó a Alberto.

—¡Pero es posible que fuera él*! Quizás tenga otro ojo de cristal, un ojo de otro color. ¡Es posible que él fuera el cliente rico de Madrid que mató a mamá!

—No, hija. El señor Figuero no mató a tu madre. Alberto es un hombre equivocado, pero no es asesino. Creo que aquel cliente rico es el Gran Hermano de la Garduña, pero no hay manera de probarlo*.

Montse sabía que su padre tenía razón. Imaginaba a sus padres como jóvenes universitarios, amenazados por una mafia misteriosa. Bajó la vista y vio el tatuaje de su muñeca.

Dentro de su imaginación, podía ver a sus padres huyendo por la noche, perseguidos por serpientes espantosas, bajo la mirada de un terrible ojo gigante.

—¿Y mi tatuaje? ¿Por qué mi tatuaje tiene el ojo y las serpientes de la Garduña? —preguntó Montse.

168 *es posible que fuera él - *it's possible it was him*
*probarlo - *to prove it*

Podía ver a sus padres huyendo por la noche.

—Tu madre tenía el mismo tatuaje. Te lo hizo cuando todavía pensaba que la Garduña era una sociedad de académicos. No lo recuerdas porque tenías menos de dos años. Tal vez tu madre te hiciera* el tatuaje porque era una forma de conectarse contigo.

—Entonces, ¡es verdad! Tengo el tatuaje de la mafia.

—Montse, un tatuaje es solo un dibujo, no te define. El significado del tatuaje depende de ti. ¿Qué ves tú en el diseño? Yo solo veo el amor de tu madre. Ella te quería*, Montse, y yo te quiero también.

---

*Tal vez... te hiciera - *maybe... she gave it to you (made it)*
*te quería - *she loved you*

169

Montse se quedó sin palabras. Tantas dudas* resueltas por fin. Comprendió porque su madre nunca quiso explicarle el significado del tatuaje. Comprendió porque siempre lo cubría con el reloj. Todo fue un error de juventud. Su madre la quería. Su madre no tuvo la culpa* de que el mundo tuviera otros planes menos nobles.

De alguna manera, dentro de esa antigua cueva de bandidos, todo tenía sentido. Montse no tuvo más preguntas. No tenía más dudas. Se sentía... tranquila.

—Montse, eso no es todo —dijo su padre—. Tengo que contarte algo más...

—Está bien, papá —interrumpió Montse—. No necesitas explicarme nada más. Sé que me quieres. Sé que mamá me quería. Eso es suficiente para mí. Ya no importa lo que pase.

—¡Wuupa! ¡Ahí van! ¡Malditas cuerdas! —gritó Jimena poniéndose de pie—. Pues, a mí sí me importa lo que pase. ¡No tengo ninguna intención de morir aquí en esta maldita cueva de bandidos!

 Montse y Miguel miraron a Jimena con la boca abierta. Estaba de pie mirándolos con una gran sonrisa. Tenía un largo cuchillo en la mano y las cuerdas cortadas estaban en el suelo.

*Tantas dudas - *so many doubts*
*no tuvo la culpa - *she wasn't to blame*

—¡Vaya! ¡Ese matón de Franco no es muy inteligente, pero si sabe cómo atar un nudo* fuerte! —dijo Jimena—. ¡Cómo me duelen las muñecas!

—Pero... ¿cómo... ? —le preguntó Montse.

—Bueno, parece que este cuchillo no solo corta jamón —dijo Jimena sonriendo—. Mientras tú estabas hablando con ese detective tan raro, robé el cuchillo de jamón y lo escondí debajo de la camisa.

—¡Claro! ¡No estabas llorando! ¡Estabas actuando! ¡Y robando el cuchillo!

—¡Figuero no es el único que puede actuar bien! Los matones no me hacen llorar, solo las películas tristes —respondió Jimena sonriendo.

—Jimena, siempre tienes un plan.

—Claro que sí. Luego corté las cuerdas y aquí estamos... ¡libres! Como en las películas, ¿verdad? Créeme, no es nada fácil esconder un cuchillo jamonero* debajo de la camisa.

Jimena cortó las cuerdas de sus amigos. Miguel y Montse se levantaron y los tres se abrazaron.

—Jimena, ¿cuántas veces me has salvado? —dijo Montse sonriendo.

*atar un nudo - *tie a knot*
*un cuchillo jamonero - *A long knife for cutting jamón serrano*

—¡Un par de veces, por lo menos! —respondió Jimena con una enorme sonrisa.

—Buen trabajo Jimena, —dijo Miguel— pero no estamos libres todavía. Ese matón está arriba detrás de la puerta.

—Es verdad —dijo Montse—. Y no hay otra salida en la bodega. Estamos atrapados.

El tiempo también pinta.

—Francisco José de Goya y Lucientes

Capítulo dieciseis

NO HAY ESCAPATORIA

$\mathcal{L}$as velas daban poca luz y los jamones colgados del techo* proyectaban sombras siniestras en las paredes. Atrapados en la bodega, los tres pararon a pensar.

—¿Qué hacemos ahora? —preguntó Montse.

De repente, una rata salió de detrás de un barril y cruzó corriendo por delante de los tres. Montse gritó y casi se cayó tropezando* con la silla. La rata corrió y se escondió otra vez detrás del barril.

174 *colgados del techo - *hanging from the ceiling*
*tropezando - *tripping*

—¡Qué susto!* —dijo Montse poniéndose la mano en el corazón—. ¡Odio las ratas! ¡Casi me da un ataque al corazón!

—¡Eso es! ¡Un ataque al corazón! —exclamó Jimena—. Sé lo que podemos hacer. Podemos hacer como en las películas.

—Esto no es ninguna película, Jimena. Ese matón de ahí arriba tiene una pistola —dijo Miguel.

—Tenemos que hacer algo. Mira, tengo un plan. Vamos a crear una distracción para llamar la atención de ese maldito matón que está allí arriba. Cuando baje ese gorila, ¡le damos un golpe* y escapamos por el restaurante! Solo necesitamos algo pesado para golpearle...

Jimena empezó a buscar por la bodega, pero Miguel y Montse parecían poco convencidos.

Jimena se detuvo y miró hacia el techo. Saltó por encima de la mesa del jamón. Levantó el cuchillo y cortó la cuerda de un jamón serrano que colgaba del techo.

—Creo que este jamón de pata negra* nos puede servir —dijo Jimena sonriendo.

—¡Estás loca, tía! —exclamó Montse—. ¿Le vamos a pegar con un jamón?

*¡Qué susto! - *What a scare!*
*le damos un golpe - *We hit him*
*jamón de pata negra - *a famous, high quality serrano ham*

—No, pegarle no. Tengo otra idea, Montse. Voy a poner el jamón en las escaleras. Hacemos como si tu padre estuviera sufriendo un ataque al corazón. Luego, cuando el matón baje para investigar, se tropezará* con el jamón, se caerá y entonces... ¡podremos escapar!

—¡Eso nunca va a funcionar! ¡Va a ver el jamón! —dijo Montse.

—Hay muy poca luz en las escaleras y todo está oscuro. No verá el jamón. ¿O tienes otro plan?

Montse y Miguel se miraron. La verdad es que no tenían otro plan.

—De acuerdo. Está claro, entonces —declaró Jimena—. Ahora es el momento del jamón serrano.

Jimena se dio la vuelta, levantó el jamón y lo puso en medio de las escaleras en la zona más oscura.

—Venga. Vamos a las sillas otra vez— dijo Jimena.

Los tres se sentaron. Jimena hizo una pausa, miró a Montse y a Miguel, y entonces empezó a gritar.

—¡Socorro! ¡Socorro! El señor Sánchez está mal! ¡Ayuda! ¡Ayúdanos, por favor!

La puerta de arriba no se abrió, pero Jimena siguió* gritando. Después de unos segundos, oyeron el «¡CLIC!» de la cerradura y apareció un rayo de luz arriba. El matón bajó los primeros escalones.

*se tropezará - *he will trip*
*siguió - *continued*

—¡Silencio! —gritó.

Los tres podían ver los pies del matón en los escalones justo arriba del jamón.

—¡El señor Sánchez está mal! ¡Está sufriendo un ataque al corazón. ¡Ayuda por favor! —gritó Jimena.

—¿Qué me importa? —respondió el matón.

El matón no bajó más. Montse y Jimena se miraron. Tenían que hacer algo. De repente, Montse tuvo una idea.

—Tengo más información sobre la fórmula, información muy importante para tu jefe —gritó Montse. —¡Si ayudas a mi padre, te digo todo! ¡Te lo juro!*

Hubo una pausa larga. Jimena miró a Miguel y le hizo un gesto con los ojos. Miguel empezó a gritar otra vez.

—¡Ayyyy! ¡Mi corazón! ¡Ayúdame! ¡Qué dolor! ¡Ayyyy!

El guardia empezó a bajar otra vez. Puso el pie encima del jamón, se desequilibró* y se cayó por las escaleras con un grito.

—¡Ahora! —gritó Jimena.

Los tres amigos saltaron de sus sillas y corrieron hacia las escaleras. Miguel y Montse empezaron a subir. Jimena iba justo detrás. Un segundo después, el matón se levantó del suelo y empezó a sacar su pistola. Montse miró hacia atrás y vio al hombre con cara furiosa sacando la pistola.

—¡Jimena! ¡Cuidado! —gritó Montse.

---

*¡Te lo juro! - *I swear! (I promise!)*
*se desequilibró - *He lost his balance*

Jimena se detuvo, se dio la vuelta y vio al matón sacando la pistola. Sin perder* ni un segundo, Jimena levantó el jamón que ya estaba a los pies de las escaleras.

¡Jimena! ¡Cuidado! – gritó Montse.

Con un grito feroz, Jimena usó toda su fuerza y golpeó al matón en la cabeza con un gran ¡CATAPLUM!

—¡Toma ya! —gritó Jimena.

El matón cayó de nuevo al suelo con otro grito de dolor.

—¡Vamos! —gritó Jimena soltando el jamón y corriendo escaleras arriba.

*sin perder - *without losing*

¡¡¡Toma ya!!!

Los tres salieron de la bodega, cruzaron por la cocina del restaurante y entraron al salón donde todavía había algunos clientes comiendo. Varias personas tenían los teléfonos en la mesa.

Jimena iba detrás de sus amigos, y cuando pasó junto a una mesa, hizo un movimiento rápido con la mano y robó un teléfono. Se lo guardó en el bolsillo* y los tres salieron del restaurante.

---

bolsillo - *pocket*

¡Ayyyyyy!

Huyeron calle arriba, entraron otra vez en la Plaza Mayor y fueron a una esquina con poca luz para hablar.

—¡Jimena! —exclamó Montse—. Ya no hablo en broma. ¿Cuántas veces vas a salvarme?

—¡Las que hagan falta! —le respondió Jimena—. Pero debemos agradecer* a tu padre. ¡Parece que es un buen actor también!

—Bueno... ¡el golpe que le diste con el jamón fue impactante! —se rio Miguel.

—¡Fue un jamón de pata negra! ¡Le di el jamón de la mejor calidad a ese matón! —se rio Jimena.

Los tres se rieron, pero solo por un segundo. Montse miró a su padre.

—Papá, ¿qué hacemos ahora?

—Tenemos que acabar* con todo esto o la Garduña nunca nos dejará en paz. Debemos buscar ayuda. Todavía tengo algunos amigos aquí en Madrid.

—No hay tiempo para ayuda —les dijo Jimena mirando hacia el centro de la Plaza Mayor—. Parece que la Garduña ya ha llegado.

Montse y Miguel también miraron hacia el centro de la plaza. Había una grúa al lado de la estatua de Felipe III. Un hombre estaba arriba en la canasta de la grúa con una linterna.

182 *debemos agradecer - we should thank
*Tenemos que acabar - we have to finish

Vieron al señor Figuero hablando con un grupo de hombres que miraban la barriga del caballo.

—Pero no entiendo —les dijo Miguel—. ¿Qué importancia tiene esa estatua para la Garduña?

—Papá, hemos descubierto el secreto del lugar de la fórmula —le dijo Montse—. Está dentro de la barriga del caballo de aquella estatua.

—Pues entonces, la Garduña está a punto de descubrir la fórmula —respondió Miguel—. Tenemos que hacer algo ya. Si no, esos mafiosos van a abrir la estatua y estaremos todos perdidos.

De repente, escucharon aquella risa siniestra* de la bodega. Miraron hacia atrás y vieron al detective Franco salir de las sombras de las columnas. Les apuntaba con una pistola.

—Ese es el plan —les dijo—. Y esta vez, no habrá escapatoria*.

Capítulo diecisiete

OJOS DE UN ASESINO

Franco miró a sus tres prisioneros atrapados en las sombras. La luna, detrás de los edificios que rodeaban* el gran espacio interior de la Plaza Mayor, casi no daba luz. Algunas parejas todavía paseaban por la plaza, lejos de ellos, sin prestarles atención. El matón de la bodega llegó corriendo.

—Lo siento, jefe —dijo el matón—. Se me escaparon.

—Eso está claro —respondió Franco.

—Me pusieron una trampa* y luego me golpearon... con un jamón.

—¿Un jamón? ¡Qué inútil eres!*

*rodeaban - *surrounded*
*una trampa - *a trap*
*¡Qué inútil eres! - *You're useless!*

El matón bajó la cabeza y Franco devolvió la mirada hacia los tres. Parecía considerar sus opciones. Guardó la pistola bajo la chaqueta gris.

—Y ahora, no hagan ninguna tontería* —dijo Franco—. Cualquier intento de escapar y saco la pistola otra vez. Con el tatuaje que la señorita Sánchez tiene en la muñeca, yo no tendría ningún problema en explicar la muerte de un miembro de la Garduña.

Franco miró a Montse y sonrió. El matón empezó a reírse. La sonrisa de Franco desapareció enseguida*.

Cualquier intento por escapar y saco la pistola otra vez.

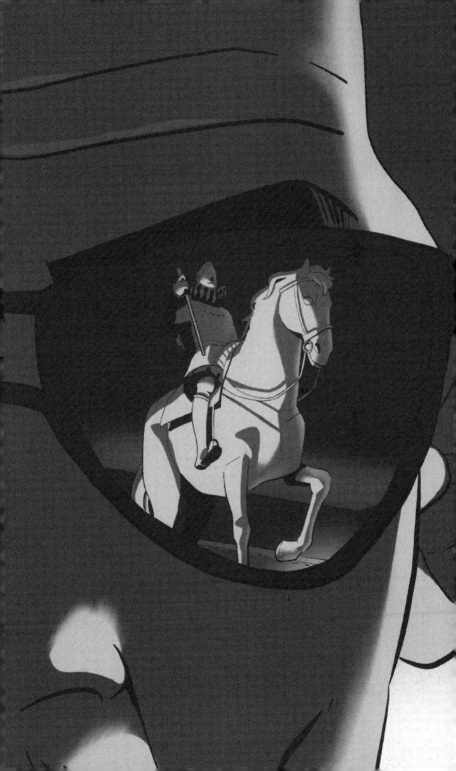

—¡Cállate ya, payaso!* Vete a la grúa para ver cómo va el trabajo.

El matón se fue a la grúa sin una palabra más. Franco miró a sus prisioneros y pareció tomar una decisión.

—El resto de ustedes, vengan conmigo. Vamos a abrir esta estatua juntos.

Franco y sus tres prisioneros empezaron a caminar hacia el centro de la plaza. Había un hombre en la canasta* de la grúa. El señor Figuero estaba debajo, observando la barriga del caballo.

*¡**Cállate ya, payaso!** - *Shut up, you clown!*
*la **canasta** - *the basket*

Cuando llegaron, el matón se acercó de nuevo al grupo, pero no habló. El señor Figuero se dio la vuelta y vio con sorpresa a los tres prisioneros.

—Parece que estamos reunidos una vez más, profesor —le dijo Franco.

—Pero... ¿cómo...? —preguntó Figuero.

—No vamos a perder más tiempo con explicaciones. Digamos* que fue un accidente… culinario —dijo Franco mirando al matón.

El matón empezó a reírse otra vez. Franco le lanzó una mirada amenazadora y el matón se calló.

—De todas formas, no será tan malo tenerles aquí en el momento de descubrir, por fin, el secreto de Goya —dijo Franco.

—Alberto, ¡no tienes por qué ayudarles! —interrumpió Miguel mirando a Figuero—. Magdalena nunca hubiera querido esto*.

El señor Figuero miró a Miguel pero no le respondió. Jimena, escondida detrás de Miguel, tenía una mano en el bolsillo y sacaba lentamente el teléfono que había robado en el restaurante.

—Alberto, tú amas el arte. Es tu vida, pero todo esto es solo una cuestión de dinero para ellos —continuó Miguel—. La Garduña solo quiere la fórmula para venderla y cuando

---

Digamos - *Let's say*
nunca hubiera querido esto - *never would have wanted this*

la tengan, ya no serás necesario. Magdalena lo sabía y por eso nunca te contó el secreto. Fue para protegerte.

Montse miró a su padre y al señor Figuero y sintió la conexión entre ellos. Era una conexión casi visible, como un hilo de dolor* que les conectaba a través de muchos años. Era una conexión de viejos amigos, pero parecían dos hombres cansados de tantos secretos.

Una duda fugaz se dibujó en la cara de Figuero. Levantó la vista y miró a la estatua de Felipe III justo detrás de Miguel, el lugar donde se resolvería su búsqueda de tantos años. Franco se puso a su lado y habló.

—Venga Figuero. Aquí estamos para hacer historia. Si no sacamos la fórmula ahora, se perderá* para siempre.

Pero Figuero seguía sin hablar. Viendo su duda todavía, Franco puso su mano en el hombro del profesor.

En ese momento, la luz de las linternas del trabajo se reflejaba en el reloj de la muñeca de Franco. Era el Rolex Oyster Cosmograph, el mismo reloj que Montse había visto en la tienda de antigüedades aquella mañana.

Miguel vio el reloj antiguo en la muñeca de Franco y puso una cara sorprendida.

***como un hilo de dolor** - *like a thread of pain*
*se perderá - *it will be lost*

Franco le habló al profesor una vez más, esta vez con el tono de un amigo.

—Ya es la hora profesor. Venga... el mundo merece conocer el secreto de Goya, el secreto de la poción, el verdadero poder* de *El sueño de la razón*.

—El mundo merece conocer todos los secretos, no solo el de la poción —interrumpió Miguel mirando el reloj en la muñeca del detective.

Franco y Figuero miraron a Miguel, pero nadie habló. Solo se oía el sonido de la grúa y las voces de la gente paseando a lo lejos, terminando una noche inocente de tapas y discotecas, ignorantes del peligro de al lado.

Después de unos segundos, Miguel habló otra vez:

—Alberto, pasé años* buscando al asesino de Magdalena sin resultados, pero un día tuve suerte. Una tarde estaba trabajando en la tienda de antigüedades cuando un cliente entró y me dio una pista.

Era un tipo raro, con un bigote enorme, uno de esos hombres que hablan demasiado. Yo estaba muy ocupado con el inventario de la tienda y no le prestaba mucha atención. Pero, de repente, ese hombre raro me dijo algo que llamó mi atención, algo que no podía ignorar.

—¡Basta ya! —dijo Franco—. No tenemos tiempo para más cuentos.

---

*el verdadero poder de - *the true power of*
*pasé años - *I spent years*

—El hombre me dijo que coleccionaba objetos de sociedades secretas para un cliente rico en Madrid —continuó Miguel—. Dijo que su cliente estaba loco, pero rico, y pagaba bien. Empecé a prestarle más atención.

Figuero miraba a Miguel con una cara de confusión, pero no dijo nada. Franco bajó su mano del brazo del profesor y dio un paso* hacia Miguel.

—Buscaba un Rolex Oyster Cosmograph —continuó Miguel—. Dijo que se perdió hace años y que era un símbolo de poder que siempre se entregaba* al Gran Hermano, el líder de una mafia antigua... la Garduña.

—¡Claro! ¡El Rolex! ¡El reloj que vi en su muñeca en la tienda después del robo! —exclamó Montse mirando a Franco—. ¡Usted tiene el Rolex!

*dio un paso hacia - *took a step toward*
*siempre se entregaba - *was always given to*

¡Montse recordó el reloj!

—¡Venga ya! ¿Desde cuándo es un crimen tener buen gusto*? —dijo Franco con sonrisa de serpiente.

—El hombre me habló de lo que había aprendido de la Garduña en su búsqueda del reloj —continuó Miguel—. Dijo que nadie había visto nunca el rostro del Gran Hermano, pero que existía el rumor de que tenía un aspecto poco común*... que tenía un ojo de cada color, uno verde y otro marrón. Recordé que Magdalena me había dicho lo mismo antes de irse a Madrid a ver al cliente rico.

La sonrisa de Franco desapareció, abrió su chaqueta y puso la mano en su pistola. Miguel miró a Franco y continuó hablando.

—Aquel hombre raro dijo algo más. Justo antes de marcharse de la tienda, me dijo que había visto la cara de su cliente rico. Dijo que tenía un ojo verde y un ojo marrón.

buen gusto - *good taste*
poco común - *uncommon, unusual*

Franco sacó la pistola. Miguel la vio, pero continuó hablando.

—En ese momento, supe* que el cliente rico de Madrid era el Gran Hermano, el mismo hombre que mató a Magdalena, el asesino con un ojo verde y otro marrón.

Franco no habló. El matón puso su mano en la pistola. Miguel clavó los ojos* en el detective y habló una vez más.

—¿Qué esconde detrás de esas gafas, detective Franco?

Franco dio un paso más y se detuvo frente a Miguel. Guardó la pistola, se giró y miró a Montse. Levantó la mano donde llevaba el Rolex, y con una sonrisa serpentina, se quitó las gafas de sol.

Allí, bajo las luces sobrenaturales de la plaza Mayor, Montse pudo ver, por fin, los ojos del asesino de su madre.

*supe - *I knew*
*clavó los ojos - *fixed his eyes on*

El sueño de la razón produce monstruos.

—Francisco José de Goya y Lucientes

Capítulo dieciocho

EL SUEÑO DE LA RAZÓN

Montse observaba los ojos de Franco, uno verde y el otro marrón. Dentro de esos ojos odiosos, pudo ver su alma malvada*. Pudo ver la crueldad de un monstruo.

De pronto, su mente voló al Museo del Prado. Estaba otra vez en la sala de las pinturas negras de Goya, bajo la mirada* de las brujas y las criaturas diabólicas. En su mente, veía los ojos de Saturno, el dios devorando a su hijo en la pura locura de un crimen sobrenatural.

Franco tenía esos ojos, los ojos de un monstruo. Eran los ojos del asesino de su madre.

—¡Asesino! —gritó Montse—. ¡Eres el Gran Hermano! Tú mataste a mi madre.

*su alma malvada - *his evil soul*
*bajo la mirada - *under the gaze of*

Saturno devorando a su hijo.

Pero el grito de Montse se perdió con el ruido* de la grúa y nadie en la plaza les prestaba atención. Franco se puso las gafas de nuevo y sacó su pistola otra vez.

—No más gritos, señorita. A veces los problemas requieren de una solución desagradable. Lo de su madre fue, digamos... un accidente que tenía que ocurrir.

Franco apuntó con la pistola a Miguel.

—Y ahora, muchacha, si hablas solo una vez más, podemos terminar con el resto de la familia.

Franco devolvió la mirada hacia Figuero.

—Profesor, está usted a punto de* conseguir el mayor logro de su vida —dijo Franco—. Siempre ha soñado con esto. Vamos a abrir la estatua, a sacar la fórmula y a hacer historia.

Montse miraba la pistola de Franco. La Garduña estaba a punto de abrir la estatua. Ella sabía que después de sacar la fórmula, todos iban a acabar como su madre... *muertos.*

El detective seguía apuntando a su padre con la pistola. Montse miró a su mejor amiga. Jimena era una chica de acción que siempre la salvaba, pero en ese momento, no podía hacer nada.

Montse tenía que hacer algo. Miró a Figuero y pensó en lo que su padre había dicho, que el profesor no era un asesino, que también era víctima de las mentiras de la Garduña.

198 ―――――――――――
*el ruido - *the noise*
*a punto de - *about to, poised to*

Montse estaba tan cerca de Figuero que podía verse reflejada en el ojo de cristal de su maestro. Recordó lo que él había dicho aquella mañana* en la universidad, que los ojos son el espejo del alma. Miró el otro ojo de su profesor, el ojo sano, y vio la duda*... la duda de un alma atormentada.

En ese momento, Montse lo vio todo claro. Había una posible solución. Miró a su profesor con compasión y dijo una sola frase:

—Señor Figuero, *el sueño de la razón produce monstruos.*

Figuero escuchó el nombre de la fórmula que había buscado durante tanto tiempo, pero no hizo nada. Parecía no comprender porqué Montse hablaba del nombre de la poción en ese momento.

Pero Montse no hablaba de la fórmula. Hablaba del mensaje de Goya, el verdadero significado del famoso grabado* de Goya. La frase era un aviso que hablaba de cómo

*aquella mañana - *that morning*
*la duda - *the doubt*
*grabado - *etching, engraving*

cualquier persona puede convertirse en monstruo cuando abandona la razón. Ella hablaba de la obsesión de Figuero.

Después de unos segundos, unos segundos que parecieron una eternidad, los ojos de Figuero se abrieron un poco. Al fin, pareció entender el verdadero mensaje de Montse.

Después, Figuero miró a Franco y luego a Miguel. Por primera vez, pareció que Figuero se preguntaba* cómo él, un profesor distinguido, un hombre culto, había llegado a estar allí junto a un mafioso que apuntaba con una pistola a su viejo amigo.

Franco perdió la paciencia.

—¡Venga, Figuero! ¡Ya está bien! ¡Terminemos ya!

Figuero miró a Franco y habló:

—Sí, de acuerdo. Vamos a terminar con todo esto de una vez.

Figuero saltó adelante, agarró la pistola de Franco y empezó a luchar por quitársela.

—¡Figuero! ¡Basta ya! —le gritó Franco.

Detrás de ellos, el matón de la bodega parecía no saber qué hacer. Sacó su pistola y apuntó a Miguel y a las dos chicas.

Mientras tanto, el hombre arriba en la canasta de la grúa soltó los controles, sacó una pistola y apuntó a Figuero. Franco y Figuero, todavía luchando, se dieron cuenta* de que iba a disparar.

*se preguntaba - *he asked himself (wondered)*
*se dieron cuenta - *they realized*

Franco gritó:

—¡Qué nos vas a matar a los dos!

Franco tiró fuertemente del brazo de Figuero y apuntó la pistola hacia el hombre de arriba en la canasta. Apretó el gatillo. ¡BANG! Sonó un disparo y el hombre cayó dando un grito.

Tras el disparo, todo en la plaza se volvió un caos. Miguel empezó a correr hacia Franco y Figuero. Jimena guardó el teléfono en su bolsillo y sujetó una de las linternas de trabajo que había en el suelo. Empezó a correr detrás de Miguel.

El matón vio a Miguel corriendo hacia su jefe. Le disparó* y Miguel cayó al suelo con un grito de dolor, sujetándose la pierna.

—¡Papá! —gritó Montse corriendo hacia su padre.

Jimena vio a Miguel caer al suelo y se detuvo sin saber qué hacer. Vio al matón con la pistola todavía apuntando. Se puso como loca* y empezó a correr gritando hacia el matón y Franco con la linterna en la mano.

En ese momento, Montse supo que iban a matar a Jimena. Vio claramente la imagen de su mejor amiga muerta en el suelo y no pensó en nada más que salvarla. Se levantó de un salto y corrió detrás de ella.

---

*le disparó - *he shot him*
*se puso como loca - *she went crazy*

Se puso como loca y empezó a correr gritando.

Jimena lanzó la linterna en el mismo momento en el que sonó el segundo disparo*. La linterna chocó contra la cabeza del matón con un fuerte ¡CLANG! El matón cayó al suelo soltando la pistola.

Jimena gritó de dolor y Montse vio a su mejor amiga caer al suelo con las manos en la barriga.

—¡NO! —gritó Montse.

Montse corrió y se inclinó sobre Jimena. Veía la sangre saliendo entre los dedos de su amiga. Todo el caos en la plaza desapareció y Montse ya solo veía* a Jimena sufriendo en el suelo. Sabía que iba a morir.

204

*el disparo - *the gunshot*
*ya solo veía - *now she only saw*

Pero Jimena miró a Montse a los ojos e hizo algo inesperado. Sacó un objeto de su bolsillo, sujetó la mano de Montse y... sonrió. Montse sintió algo metálico en la mano. Miró y vio un teléfono. En la pantalla se podían leer unos números... 112.

—Somos fuertes las andaluzas, ¿verdad, Montse? —dijo Jimena y entonces, cerró los ojos.

—¡Jimena! ¡Jimena! —gritó Montse.

Montse se sentía atrapada en una pesadilla interminable… su mejor amiga, su padre al lado, la vida saliendo de sus cuerpos. Veía todo ese sufrimiento frente a ella, pero no vio el peligro que se le venía encima.

El matón, con la pistola ya recuperada, iba hacia ella*. Franco, todavía luchando con Figuero, vio que el matón iba a disparar a Montse.

—¡No la mates! —gritó Franco.

Montse levantó la vista y vio la pistola, pero el matón no disparó. Levantó la pistola y dio un golpe fuerte en la cabeza de Montse.

El golpe fue rápido y Montse sintió inmediatamente un dolor intenso. Una niebla oscura* lo cubrió todo, como una de esas sombras inmensas de las *Pinturas negras* de Goya.

Montse cayó encima de Jimena luchando para mantener la conciencia. Podía ver la figura de su padre, pero ya

---

*iba hacia ella - *was heading towards her*
*una niebla oscura - *a dark fog*

era casi como otro fantasma* en la niebla. Estaba gritándole algo, pero Montse no podía entenderlo.

Montse oyó más disparos. Veía unas sombras corriendo hacia ella y creyó ver al matón desapareciendo en la oscuridad.

Alguien estaba gritando:

—¡Manos arriba! ¡Manos arriba!

Intentó mantener los ojos abiertos pero, poco a poco, la oscuridad los cubrió y Montse se perdió en la niebla.

En ese momento, podía ver claramente al perro de Goya, hundiéndose sin esperanza* en un abismo de pintura marrón. El perro miraba hacia arriba buscando ayuda… buscando la forma de salir de su sufrimiento.

Montse también miró hacia arriba, pero solo veía un gran espacio oscuro. Entonces, el dolor se hizo insoportable y la oscuridad fue absoluta.

*fantasma - *ghost*
hundiéndose sin esperanza - *sinking without hope*

Capítulo diecinueve

EL DESTINO

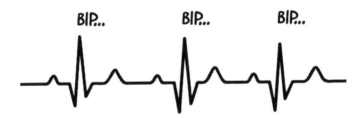

BIP...   BIP...   BIP...

*M*ontse iba despertando poco a poco. ¿Qué era ese sonido? Veía unos tubos en su brazo y una máquina de ECG* al lado. En ese momento, se dio cuenta* de que estaba en el hospital.

Le dolía mucho. Se tocó la cabeza y notó un vendaje. Intentó recordar cómo había llegado allí, pero no podía pensar bien con ese dolor de cabeza.

---

*ECG - *electrocardiograma (EKG)*
*se dio cuenta - *she realized*

Recordó la lucha entre el señor Figuero y el detective Franco... el sonido de sirenas... la gente gritando y corriendo. De repente, recordó algo terrible... recordó a Jimena inconsciente en el suelo, la sangre corriéndole por las manos encima del estómago.

La puerta de la habitación se abrió. Montse vio entrar a una mujer alta y a un hombre con gafas. Se acercaron a la cama. La mujer le enseñó una placa de policía y habló primero:

—Buenas noches. Usted es la señorita Montserrat Sánchez Pérez, ¿verdad?

—Sí, soy yo —respondió Montse.

—Soy la detective García, agente de CITCO*, y este es mi compañero, el agente Ruíz de la unidad de delitos* sobre el arte. Queremos hacerle unas preguntas sobre lo que pasó en la plaza Mayor.

—¿Dónde está mi padre? ¿Y Jimena? ¿Están vivos?

—Los doctores les están atendiendo todavía. Estaban inconscientes cuando llegaron al hospital. Han dicho que nos avisarán cuando terminen de atenderlos.

—Pero ¿qué ha pasado? ¿Cómo hemos llegado aquí?

—Su amiga llamó a la policía marcando el 112. Llegamos justo a tiempo. Está claro que ella salvó sus vidas.

*CITCO - *El Centro de Inteligencia contra el Terrorismo y el Crimen Organizado*
*delitos - *crimes*

Montse pensó en Jimena y recordó a su amiga con el teléfono en la plaza Mayor.

—Es verdad, tenía un teléfono. Pero ¿de dónde sacó un teléfono? —preguntó Montse.

—No estamos seguros, pero hemos localizado al dueño. Es de un cliente del restaurante donde ustedes estuvieron atrapados. Podemos suponer que su amiga lo robó.

—Jimena siempre tiene un plan.

—Pues, era un buen plan. Sabía que podía llamar al 112 y hacer videos sin usar la contraseña*. El video que hizo del detective Franco es una evidencia sumamente importante para este caso.

—¡El detective Franco!

—Tranquila, señorita. Están todos arrestados. El CITCO lleva años detrás* de La Garduña. Sabíamos que la

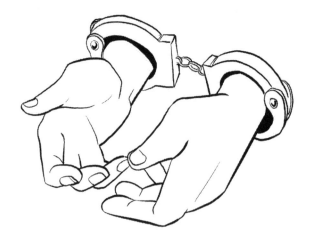

*la contraseña - *the passsword*
*lleva años detrás - *has been after them for years*

unidad española de Interpol estaba infiltrada, pero no a un nivel tan alto. Ahora sabemos que el detective Franco era el líder, el Gran Hermano de La Garduña. Su detención es un gran servicio al estado.

—¿Y el profesor Figuero? —les preguntó Montse.

—Parece que el señor Figuero ha tenido un cambio de opinión sobre La Garduña. Lo ha confesado todo y está cooperando en el caso. Nos contó* muchos detalles de los miembros... nombres completos, lugares de los encuentros secretos. Tenemos suficientes evidencias para eliminar a La Garduña para siempre.

Montse recordó la conversación que tuvo con su padre en la bodega de los bandidos, la conversación sobre el señor Figuero. Pensó en lo que su padre había dicho, que el profesor también era víctima de las mentiras. Recordó la lucha en la plaza Mayor y como el señor Figuero intentó salvarlos de Franco y sus matones. Su padre tenía razón... el señor Figuero tenía un buen corazón.

El hombre con gafas habló por primera vez, interrumpiendo los pensamientos de Montse:

—Disculpe, señorita. El señor Figuero también nos habló de una fórmula secreta, de una poción que usaba la Inquisición española, supuestamente* escondida en la barriga del caballo de la estatua de Felipe III.

---

*Nos contó - *He told us*
*supuestamente - *supposedly*

—¡Sí! ¡La fórmula de la poción! ¡El secreto de Goya! ¿Qué va a pasar con la fórmula? ¿Está en la estatua todavía?

El agente hizo una pausa antes de responder.

—No hay ninguna fórmula.

—¿Qué? ¡¿No existe?! —dijo Montse—. ¿Nos hemos equivocado todo este tiempo?

—¿Equivocado? ¿Quién sabe? Quizás sí, quizás no —respondió el agente—. Es verdad que existían rumores sobre una poción. La Inquisición usaba muchas técnicas de tortura, pero nunca hemos encontrado prueba cierta* de una fórmula secreta de Goya.

—¡Pero encontramos el mensaje secreto en el cuadro del perro semihundido de Goya! ¡La fórmula tiene que estar en la estatua de Felipe III!

—Eso lo dudo* —respondió el agente—. Déjeme explicarle, por favor. Es una historia muy interesante. En el año 1931, un terrorista introdujo un explosivo en la estatua de Felipe III. Cuando la explosión abrió un gran espacio en la barriga de la estatua, salieron un montón

de huesos de pájaros. Resulta que los pájaros habían entrado por un pequeño espacio de la boca del caballo y luego no pudieron salir. Increíble, ¿verdad?

—Vale, vale, ya está bien. Lo siento, señorita Sánchez —interrumpió la detective—. Mi compañero fue profesor de historia antes de ser policía. Le encanta hablar de historia.

—Lo siento, jefa —dijo el agente—. Bueno, el caso es que después de la explosión, no descubrieron nada, ni fórmulas ni cápsulas, solo los huesos de los pobres pájaros.

—¡Basta ya con las lecciones de historia! —interrumpió la detective García otra vez—. Lo que el agente Ruíz quiere decir es que si la fórmula existe, ya no está en la barriga del caballo de Felipe III.

—Todo esto para nada —dijo Montse.

—No, se equivoca* señorita. Tenemos a esos mafiosos detenidos. De hecho, queremos agradecerle* su servicio al estado. La Garduña jamás será* un problema. Usted puede estar tranquila.

La puerta de la habitación se abrió y dos médicos entraron. La detective y el agente se fueron al otro lado de la habitación para poder hablar a solas.

—Señorita Sánchez, soy la doctora Olivares. Llegó usted al hospital inconsciente, pero parece que todo está bien. Me alegro de verla despierta.

---

*No, se equivoca - *No, you're mistaken*
*queremos agradecerle - *we want to thank you*
*jamás será - *will never be*

—¿Y mi padre? ¿Cómo está mi padre?

—Su padre está bien. Tuvimos que operarle la pierna y ahora está recuperándose de la anestesia. Los enfermeros me avisarán cuando esté despierto.

—¿Y Jimena?

La doctora hizo una pausa y miró a los dos oficiales del CITCO. Los agentes entendieron la mirada de la doctora y se fueron de la habitación. Montse se puso nerviosa.

—¡Doctora! ¡Dígame! ¿Cómo está Jimena? ¿Está bien?

—Su amiga ha perdido mucha sangre. Está muy grave.

—Pero ustedes la pueden salvar, ¿verdad?

Está en una condición grave.

—Es un caso complicado. Hicimos un análisis y descubrimos que su amiga tiene unos antígenos* poco comunes, casi únicos. El caso es que su amiga necesita una transfusión de sangre de una persona con los mismos antígenos. Lo siento, pero no tenemos ese tipo de sangre aquí en el hospital.

—Pero... ¿no hay solución?

—Solo hay una posibilidad de salvarla. Este tipo de antígenos se pasan de padres a hijos. Podríamos usar la sangre de algún familiar*, pero no hay mucho tiempo. ¿Tiene su amiga familia aquí en Madrid?

Montse pensó en los padres adoptivos de Jimena y le entró pánico. Jimena fue adoptada y era imposible saber dónde estaban sus padres biológicos.

—Jimena es adoptada. Nadie sabe dónde está su familia biológica —dijo Montse.

—Lo siento, señorita Sánchez. Sin la sangre de un familiar, no podemos hacer nada. Lo siento mucho.

Montse no podía creer lo que estaba escuchando. ¿Jimena iba a morir? Después de tantos sacrificios, de escapar de tantas situaciones peligrosas... No podía ser verdad.

La puerta se abrió de nuevo y un enfermero entró.

—Disculpe, doctora Olivares. El señor Sánchez ya está despierto.

*antígenos - *antigens*
*algún familiar - *a relative (member of the family)*

—Bien. Vamos todos, entonces. Ayude a la señorita Sánchez. Vamos todos a la habitación de su padre.

Montse se levantó lentamente y fue con la doctora para ver a su padre. Mientras caminaba, pensó en Jimena, inconsciente, su vida pendiente de un hilo*.

Cuando entraron en la habitación, Montse vio la máquina de ECG y los tubos que salían del brazo de su padre. Parecía muy débil.* Tenía la cara blanca, pero estaba despierto.

Miguel miró a Montse y sonrió.

—Montse, ven aquí —le dijo Miguel.

Montse corrió para abrazar a su padre. ¡Estaba tan contenta de verlo vivo! Pero… ¿cómo iba a explicarle a su padre que Jimena iba a morir? Jimena era como otra hija para él. Esa noticia podría matarlo.

—Montse, ¿qué ha pasado? —le preguntó Miguel.

—Jimena nos salvó otra vez, papá. En la plaza Mayor, llamó al 112 y la policía llegó justo a tiempo.

—¿Jimena llamó a la policía? ¡Esa chica siempre tiene un plan! ¿Dónde está ahora?

—Lo siento, papá —le dijo Montse con lágrimas en los ojos—. Jimena está muy mal. Los médicos dicen que necesita una transfusión de sangre… sangre que no tienen en este hospital.

---

*pendiente de un hilo - *hanging on by a thread*
*débil - *weak*

Miguel la miró sin responder. Parecía no comprender lo que Montse le decía. Miró a la doctora esperando una explicación.

—Es cierto —dijo la doctora—. Para hacer una transfusión, necesitamos la sangre de alguien con los mismos antígenos que ella tiene, la sangre de algún familiar. Sin esa sangre, no podremos salvarla*.

Montse escuchó las malas noticias otra vez y sintió una tristeza profunda. Observó a su padre. Sabía que él iba a sentirse roto al escuchar de la inminente muerte de Jimena.

Pero lo que pasó después fue algo que Montse nunca hubiera esperado*... su padre sonrió.

—¿Papá? ¿No escuchaste a la doctora? ¡Jimena va a morir!

—Montse, hija mía. ¡Podemos salvarla!

—¿Qué? ¿Qué dices? ¿Cómo?

—¿Recuerdas nuestra conversación en la bodega? Quería decirte algo importante, pero no hubo tiempo.

Montse le miró sin comprender. La doctora se acercó escuchando atentamente. Miguel miró en los ojos de Montse y habló:

—Hija mía, Jimena es tu hermana.

Montse le miró confundida. ¿Qué había dicho? ¿Qué Jimena era... su hermana?

*no podremos salvarla - *we won't be able to save her*
*nunca hubiera esperado - *never would have expected*

—Pero papá, ¿qué dices?

—Montse, cuando tu madre y yo huimos a Sevilla, ella estaba embarazada* de una niña.

Montse escuchó a su padre y empezó a comprender el significado de lo que decía.

—Esa niña fue Jimena —continuó su padre—. Para protegerla de la Garduña, decidimos dársela* a otra familia. Nuestros amigos, los de la tienda de cerámica, la adoptaron. De esta manera, Jimena estuvo siempre cerca de nosotros.

Montse... Jimena no es solo tu mejor amiga... es tu hermana. Nunca os pudimos decir la verdad por el peligro, por la Garduña.

Montse miró a su padre en silencio.

—Ay, ay, ay, Montserrat Sánchez Pérez. Escúchame, hija mía. Tú tienes la sangre que ella necesita. Tú puedes salvarla.

Montse escuchaba a su padre y era como encontrar la última pieza del rompecabezas, como descifrar el último código de su vida misteriosa. Por fin, todo tenía sentido... salvar a Jimena era su destino.

Sin esperar más, Montse abrazó a su padre, se levantó y miró a la doctora con una gran sonrisa.

—Vamos ya, doctora. No hay tiempo que perder. Tengo que salvar a mi hermana.

*estaba embarazada - *was pregnant*
*dársela - *give her up (for adoption)*

EL FIN

Todavía estoy aprendiendo.

—Francisco José de Goya y Lucientes

GLOSSARY

Some cognates and footnoted words may not be found in the glossary. Use your deductive skills, like Montse, to decipher the meaning of a word if you can't find it here.

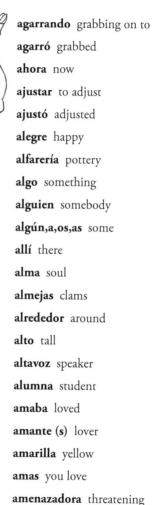

abierto open

abismo abyss

abrazar to hug

abrir to open

abruptamente abruptly

aburrida bored / boring

acababa had just

acabar to finish

acaso (por si) just in case

acercó a approached

aclaró cleared up

acompañar to go with

acostarse to go to bed

acostumbrarse to get used to

actuar to act

(de) acuerdo agreed (OK)

acusó accused

adelante ahead

además furthermore

adivinanza riddle

adónde where to

afuera outside

agarrando grabbing on to

agarró grabbed

ahora now

ajustar to adjust

ajustó adjusted

alegre happy

alfarería pottery

algo something

alguien somebody

algún,a,os,as some

allí there

alma soul

almejas clams

alrededor around

alto tall

altavoz speaker

alumna student

amaba loved

amante (s) lover

amarilla yellow

amas you love

amenazadora threatening

amigo friend

amistad friendship

amó loved

amor love

analizar analyze

Andalucía region in Spain

andaluzas from Andalusia

andando walking

andar to walk

andén platform (train, etc.)

animado cheerful

año year

ansiedad anxiety

antes before

antígenos antigens

antigüedades antiques

antiguo old, ancient

apagó turned off

aparcado parked

aparecer to appear

apareció appeared

apariencias appearances

apodo nickname

apoyada leaning against

apoyó leaned against

aprendido learned

apretaron squeezed

apropiada appropriate

apuntar to point at

apuntó pointed at

aquel (aquella) that

aquí here

arco (s) arch

argentino Argentinean

arrancó started up

arreglado repaired

arriba up, above

arroz rice

arrugas wrinkles

aseguro assure

asesino killer

así like this, so

asiento chair

asintió agreed, nodded

asistente assistant

asombrada,o (s) surprised

asunto (s) matter

asustado,a scared

atacó attacked

atado,as tied

ataque an attack

atar to tie (a knot)

atentamente attentively

aterrador terrifying

atormentada tormented

atrapado trapped

atrás in the back, behind

aula classroom

aunque although

avanzaba advanced

avenida avenue

avisar to advise

ayuda help, helps

ayudar to help

ayudó helped

azulejos painted tiles

bajar to go down

bajo beneath, under

balón ball

banco bench, bank

bandidos bandits

baratas cheap

barba beard

barriga belly, stomach

barriles barrel, cask

barrio neighborhood

basta (ya) Enough (already)!

bastante sufficient, enough

batalla battle

beca scholarship

beso kiss

bien well, (sure! okay!)

bigote mustache

billetes tickets

bloqueado blocked

bloquear to block

boca mouth

bocacalle side street

bocadillos a sub (sandwich)

bodega wine cellar

bolsa bag

bolsillo pocket

botones buttons

brasas coals

brazo arm

broma joke

bronce bronze

brujas witches

bruscamente with force

bueno good

bufanda scarf

buscar to look for

buscó looked for

búsqueda a search

caballo horse

cabeza head

cada each

caer to fall

café coffee

caja fuerte safe

cajones drawers

calamares squid

callaron went silent

cállate Shut up!

calle street

calor heat

cama bed

camareros waiters

cambiar to change

cambio a change

caminar to walk

camino road, way

caminó walked

camisa shirt

campana bell

campanillas small bells

camuflaje camouflage

canasta basket

cansada tired

caos chaos

capa layer

capaz, capaces capable

cara face

cariño dear, affection

carne meat

carta letter

cartera wallet

casa house

(nos) casamos we got married

casi almost

caso case

castillo castle

catedral cathedral

causa cause

cayó fell down

centro center

cerca close

cerrada closed

cerradura a lock

cerrar to close

chaqueta jacket

charlando chatting

chica girl

chocó crashed into

científicos scientists

cientos hundreds

cierta certain, true

cinta adhesiva tape

ciudad city

ciudadano citizen

claramente clearly

claridad clarity

claro of course, clear

clave key, answer

coche car

cocina kitchen

cocineros cooks

código code

coger to get, to take

cola tail, line

colgando hanging

colgante pendant

collar necklace

colocando putting together

comedor dining room

comenzaron started

comerse to eat up

como like, as

cómo how

compañero companion

compartirlo to share it

comprar to buy

comprender to understand

común common

con with

concentró to concentrate

conciencia conscious

conducía was driving

conectaba was connecting

confiaba trusted

confianza trust

confiar to trust

confundida confused

congelada frozen

conmigo with me

conocer to know, to meet

conocía knew

conseguir to get

conservadores curator

construido built

contarte to tell you

contento happy

contestador voicemail

contestar to answer

contigo with you

contó to tell, to count

contra against

contraseña password

225

contrato contract

convenció convinced

convertirse to change into

cooperando cooperating

corazón heart

corbata tie

correr to run

corriendo running

corrieron they ran

corrió he/she ran

cortar to cut

corte (real) royal court

cortó he/she cut

cosa thing

crear to create

crecido grown up

crecieron they grew up

creer to believe

crees you believe

creía believed

creo I believe

criaturas creatures

críptico cryptic

cristales window panes

crueldad cruelty

cruzar to cross

cruzaron they crossed

cruzó he/she crossed

cuadro painting

cuál which

cualquier any, whatever

cuando when

cuántas how much, how many

cuarto room

cubiertas covered

cubos buckets

cubrió he/she covered

cubrir to cover

cuchillo knife

cuello neck

cuentos stories

cuerda rope, cord

cuerpos bodies

cueva cave

cuidaba took care of

cuidado (ten) Be careful, inf.

cuidado (tengan) Be careful, for.

culpa blame, fault

culto cultured, educated

cumpleaños birthday

cumplir to complete

dar to give

debajo under

debemos we should

débil weak

decía said, used to say

decidió decided

decir to say

declaró declared

dedo finger

(ha) dejado has left behind

(había) dejado had left behind

dejaron they left

dejé I left

déjeme let me

dejó he/she left

delante in front of

delirio delirium, madness

demuestra shows

dentro inside

deprisa quickly, rapidly

derecha right

desagradable unpleasant

desaparecer to disappear

desapareciendo disappearing

desapareció disappeared

desarrollado developed

desastre disaster

descansar to rest

descifrar to decipher

descubierto discovered

descubrimiento discovery

descubrir to discover

desde since, from

deseaba wished

desequilibró lost his balance

desorden disorder

despacio slowly

(se) despertó woke up

despierto awake

después after

destacan stand out

destino destiny

destruye destroys

detalles details

detrás behind

detuvo stopped

devorando devouring

di I gave

dibujo drawing

dibujó he/she drew

dice says

dicho said

dieron they gave

difícil difficult

digamos Let's say

dijo said

dime tell me

dinero money

dio gave

dios god

diosa goddess

directamente directly

dirigieron directed

disculpe pardon, excuse me

discutir to argue

diseño design

disfraz, disfraces disguise(s)

disfrazar to disguise

disfrutando enjoying

disparar to shoot

disparo a shot

disparó he/she shot

diste you gave

distinguido distinguished

doblado folded

doblaron they turned

doler to hurt

dolía hurt

dolor pain

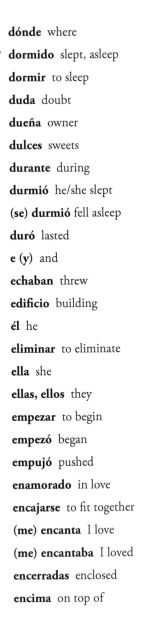

dónde where

dormido slept, asleep

dormir to sleep

duda doubt

dueña owner

dulces sweets

durante during

durmió he/she slept

(se) durmió fell asleep

duró lasted

e (y) and

echaban threw

edificio building

él he

eliminar to eliminate

ella she

ellas, ellos they

empezar to begin

empezó began

empujó pushed

enamorado in love

encajarse to fit together

(me) encanta I love

(me) encantaba I loved

encerradas enclosed

encima on top of

encontrar to find	**escalones** steps
enemigo enemy	**escapar** to escape
enfermero (s) nurse	**escapatoria** an escape
enfrente in front of	**escena** scene
engañan to lie	**escobas** brooms
enorme (s) enormous	**esconde** hides
enriquecerse to get rich	**escondido/a (s)** hidden
enseguida right away	**escondió** he/she hid
enseñó taught	**escondite** hide and seek
entender to understand	**escribió** wrote
enteros whole, entire	**escribir** to write
entonces then	**escrito** written
entrada entrance	**escritorio** desk
entrando entering	**escuchar** to listen
entrar to enter	**escucharon** they listened
entraron they entered	**ese, eso** that
entre between	**esos, esas** those
entró he/she entered	**espacio** space
era was	**espejo** mirror
éramos we were	**espera** wait / hope
eran they were	**esperar** to wait
eres you are	**esperó** waited
esa, ese, eso that	**esquina** corner
esas, esos those	**esta** this
escaleras stairs, escalator	**está** is
escalofrío shiver	**estaba** was

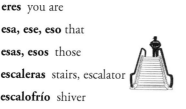

229

estación station

estado been

estantería shelf

estar to be

estatua statue

este, esto this

estos, estas these

estrecho narrow

estudiantes students

estudiar to study

estuvo was

eternidad eternity

evidencia evidence

evitar to avoid

exclamó exclaimed

explicar to explain

explotó to explode

extraño strange

fábrica factory

fabricaban made

fácil easy

facultad department

familia family

fantasma ghost

feliz, felices happy

feroz ferocious

fijamente intently

fijó (se) focused on

fin (por fin) end, at last

fincas farms

fines purpose, aims

flotando floating

(al) fondo in the back

forense forensic

forma form, way

formas shapes, forms

formular to formulate

fortaleza fortress

foto photo

francesa French

frase sentence

frente front

fresca fresh

fría cold

fritos fried

frutas fruit

fue went, was

(se) fue he/she left

fuego fire

fueron they went, were

fuerte strong

fuerzas forces

fugaz fleeting

fuimos we were

funcionar to function

fusilamiento execution

gafas glasses

gambas shrimp

ganar to win

gatear to crawl

gatillo trigger

genial great, fantastic

genio genius

gente people

gesto gesture

gigante giant

girando turning

giró turned

gobierno government

gol goal

golpe a blow, a hit

golpear to hit, to strike

grabada recorded

gran great

grande big

grave serious

gris gray

gritar to shout

grito a shout

gritó shouted

grotescas hideous,

grúa crane

guardar to keep

guardia a guard

guerra war

guerreros warriors

guía guide

gustaba guide

ha has (aux. verb)

*__había__ there was. there were

*__había__ had (aux. verb)

habían they had (aux. verb)

habitación room

hablaba was talking

hablar to speak

habló spoke

hace makes, does

hacemos we make, do

hacer to make, to do

hacia towards

hacía made, did

hambre hunger

han they have (aux. verb)

has you have (aux. verb)

hasta until

hay there is, there are

he I have (aux. verb)

hemos we have (aux. verb)

hermana sister

hermano brother

hice I made

hija daughter

hijo son

historia history, story

historiadora historian

hizo made, did

hombre (s) man, men

hombro shoulder

hora hour

horno oven, kiln

hoy today

hubo there was, there were

huesos bones

huir to run away

huyendo running away

iba was going to, went

iglesia church

igual same

iluminó illuminated

impresionante impressive

incertidumbre uncertainty

inclinó leaned over

incluso including

incómoda uncomfortable

inconsciente unconscious

inesperado unexpected

inestimable priceless

inexplicable unexplainable

infame infamous, vile

infiltrado infiltrated

insistió insisted

insoportable unbearable

intentaba tried

Inténtalo Try it!

intentar to try

intentó tried

interés interest

interesante interesting

interminable unending

interrogatorios interrogations

interrumpiendo interrupting

interrumpir to interrupt

introdujeron they put in

intruso intruder

invadir to invade

investigar to investigate

ir to go

iré I will go

iría I would go

irse to leave

izquierda left

jamón ham

jardín garden

jefe boss

joven young

juego game

jugar to play

juntar to bring together

juntos together

juro I swear

justo fair, just

juventud youth

labios lips

lado side

ladrones thieves

lágrima tear

lanzó threw

larga long

lecciones lessons

leer to read

lejos far away

lengua tongue

lentamente slowly

lentes lenses

lento slowly

letra letter (of the alphabet)

levantados raised up

(se) levantaron they got up

(se) levantó he/she got up

libre free

líder leader

limpieza cleaning

líneas lines

linterna lantern, light

llamada phone call

llamar to call

llamó he/she called

llave key

llegado arrived

llegar to arrive

llegaron they arrived

llegó he/she arrived

llena full

llevar to wear, to take

llevaba was wearing

llorar to cry

localización location

localizar to locate

loco, loca crazy

locura madness

lograr to achieve

logro achievement

luces lights

luchadora fighter

luchar to fight

luego later

lugar place

luna moon

luto mourning

luz thug

macetas vases

madera wood

madre mother

madrileños from Madrid

maestro master, teacher

mágico magical

mal (o,os,as) bad

maldita (s) cursed, wicked

mamá mom

mañana tomorrow

mandaba sent

manera way, manner

maniquíes mannequin

mano hand

mantener maintain

máquina machine

marcada marked

marcharse to leave

marcó scored

marido husband

marisco shellfish

marrón brown

más more

matar to kill

mató killed

matón thug

mayo May

mayor older

mecánica mechanical

médicos doctors

medio half

mejilla cheek

mejillones mussels

mejor better

memoria memory

menor younger

menos less

mensaje message

mente mind

mentira a lie

mentiroso liar

mercado market

merece deserves

mesa table

meta goal, objective

mezcló mixed

mi my

mí me

mía (s) mine

miedo fear, afraid

miembro member

mienten they lie

mientras while

millones millions

mintió lied

mirada a look, a glance

mirando looking at, watching

mirar to watch, to look

miraron they looked

miró he/she looked

mis my

mismo (os,as,o) same

misterio mystery

misterioso mysterious

mochilas backpacks

monstruo monster

montón a lot, heap of

morada purple

mordiéndose biting

morena brown

morir to die

mosca fly

mostrar to show

movimiento movement

muchacha girl

mucho,a a lot

muebles furniture

muerto dead

muerte (la) death

mujer woman

mundo world

muñeca wrist

murallas walls

murió died

murmuró murmured

muros walls

museo museum

muy very

naciste you were born

nada nothing

nadie nobody

narices noses

necesita needs

necesitamos we need

ni nor

niebla fog

niña girl

ningún none (any)

niños children

nivel level

noche night

nocturna nocturnal

nosotros we

noticias news

notó noted

novia girlfriend

nuestro our

nuevo new

número number

nunca never

o or

objetivo objective

objeto object

obra work (of art)

ocupado busy

ocurrir to occur

odio I hate

oído hearing, ear

Oigan Hey! Excuse me! (formal)

oír to hear

ojo eye

olivos olive trees

olor smell

olvidar to forget

olvídate Forget about...

oportunidad opportunity

ordenó ordered

oreja ear

orilla shore, bank of a river

os you (informal)

oscuridad darkness

oscuro dark

otro another, other

oye Hey! Excuse me! (inf)

padre father

padres parents

pagó paid

pájaros birds

palabra word

palacio palace

pantalla screen

papá dad

papel (es) paper

par pair

para for

parar to stop

parece seems, looks like

parecía seemed, looked like

pared(es) wall(s)

parejas couples

paró stopped

partidos matches, games

pasado past

pasajero passenger

pasar to happen, to spend

pasaron they passed

paseando walking around

pasillo hall / aisle

pasó he spent / passed

pasos steps

payaso clown

paz peace

peatonal pedestrian

pegar to hit

película movie

peligro danger

peligroso dangerous

peluche stuffed animal

pensaba he/she thought

pensamientos thoughts

pensar to think

pensó he/she thought

pequeño small

perder to lose

perdido lost

perdió he/she lost

perdón excuse me

perdonar to forgive

pergamino parchment

pero but

perro dog

perseguir to chase

personajes characters

personas people

pesadilla nightmare

pesado heavy

(a) pesar de in spite of

pescadería fish stand

pescado fish

pie foot

piedra stone

piel skin

pierna leg

pieza piece

pinceles brushes

pintó painted

pintor painter

pintura painting

pista clue

pistola pistol

pizarra blackboard

placa badge

plato plate

playa beach

plaza city square

pobre poor

poción potion

poco little

podemos we can

podía could

podremos we will be able to

podría could

poesía poetry

policía police

pon put! (command)

poner to put

por for

por favor please

porque because

portátil laptop

postizo (bigote) fake mustache

prefería he/she preferred

preguntar to ask

preguntó he/she asked

prensa the press

preocupaciones worries

preocupada worried

preocuparse to worry

presentimiento premonition

prestar atención to pay attention

primero first

primo / a cousin

principal main

(al) principio in the beginning

prisa hurry, rush

prisioneros prisoners

privado private

profe teacher

profundidad depth

prohibido prohibited

pronto soon

propio own

proteger to protect

protestó he/she protested

próxima next

proyectaba projected

pruebas evidence / proof / try

pudieron they could

pudo he/she could

puede he/she can

puedo I can

puente bridge

puerta door

pues well

puesto the stand

pulpo octopus

puntillas tip-toes

punto point

pura pure

pusieron they put

puso he/she put

que that

qué what

quedar to remain

queremos we want

quería he/she wanted

querida dear

quien who

quién (es) who

quiere he/she wants

quieres you want

quiero I want

quiso wanted

quitaron They took off

quitó he/she took off

quizás perhaps

rápido quickly

raro strange

rata rat

rato a short moment

rayos X x-rays

razón reason

razonable reasonable

razonamiento reasoning

reaccionó reacted

real real, royal

realidad reality

recado message

recibir to receive

reconocer to recognize

reconoció recognized

recordar to remember

recordó he/she remembered

recrear to recreate

recuerda remember

recuerdos memories

recuperando recovering

reflejaba reflected

reflejo reflection

regresar returned

reírse to laugh

reloj watch, clock

(de) repente suddenly

repitió repeated

replicar to replicate

requieren they require

rescatar to rescue

respetaba respected

respondió responded

respuesta answer

resueltas resolved

resulta que it turns out

resultados results

retirando pulling back

reunidos reunited

reveló revealed

revisando inspecting

revueltos thrown about

rey king

reyes king and queen

rico rich

río river

(se) rió he/she laughed

riquísima delicious

risa laugh

robo robbery

rodeado surrounded

rojas red

rompecabezas puzzle

rompió he/she broke

rondas rounds

ropa clothes

rostro face (cara)

rotos broken

rugido roar

ruido noise

ruta route

sabe he/she knows

sabemos we know

saber to know

sabía knew

sacar to take out, to take a photo

sacó took out, took a photo

sacrificar to sacrifice

sagrado holy

sala hall, room

salida exit

saliendo leaving

salieron they left

salió he/she left

salir to leave

salón room

salto leap, jump

saltó he/she jumped

salvar to save

san, santa saint

sangre blood

sé I know

sea to be (subj.)

secreto secret

seguir to continue

segundo second

seguramente surely

seguridad security

seguro sure

semihundido submerged, sunk

señal signal

señor mister

señorita miss

sentaron they sat

sentía he/she felt

sentido (tenía) to make sense

sentimiento feeling

sentir to feel

sentó sat down

ser to be

será will be

serpiente snake

servicio service

servir to serve

sevillana from Seville

si if

sí yes

sido been

siempre always

(lo) siento I'm sorry

siesta nap

síganme follow me

siglo century

significado meaning

significar to mean

siguieron they followed

siguió he/she followed

silencio silence

silla chair

símbolo symbol

sin without

sin embargo however

siniestro sinister

sintió he/she felt

sirenas sirens

sitio site, place

sobre envelope, about

sobrenatural supernatural

sobrevivir to survive

sociedad society

socio member

socorro help

sol sun

soldados soldiers

sólo only

solo alone, just

soltando letting go

soltó let go of

sombra shadow

sombrero hat

somos we are

son they are

soñar to dream

sonido sound

sonó dreamed

sonriendo smiling

sonrió laughed

sonrisa smile

sordo deaf

sorprendido surprised

sorpresa surprise

sospechado suspected

sospechar to suspect

sostenía was holding

sostiene holds

soy I am

su his/her

suave soft

subir to go up

sucias dirty

sudando sweating

suelo floor

sueño dream

suerte luck

sufrimiento suffering

sufrir to suffer

sujetándose holding

sumamente extremely

sujetó grabbed

superada surpassed

supo knew, found out

supuestamente supposedly

(por) supuesto of course

sus his/her

suspiró sighed

susurró whispered

tal (vez) perhaps

también also

tampoco either, neither

tan so

tanto so much, so many, so

tapada covered

tapas small plates of food

tarde late, afternoon

tarea homework

tarjeta card

tatuaje tattoo

taxista taxi driver

tazones cups

techo ceiling

técnicas techniques

teléfono telephone

temía he/she feared

ten (cuidado) be careful

tenemos we have

tener to have

tengan (cuidado) be careful

tengo I have

tenía he/she had

tenían They had

tenido had

teoría theory

terminar to finish

tesoro treasure

tía *slang:* girl (aunt)

tiempo time

tienda store

tiene he/she has

tienen they have

tienes you have

tintineo jingle

tío *slang:* dude (uncle)

típico typical

tipo type

tirados thrown about

tirando throwing

tirando de pulling on

tiró he/she threw

título title

tobillo ankle

tocar to touch

todavía still

todo (s,os,as) all

tomaban they took

tomar to take

tomó he/she took

tonel cask, barrel

tono tone

toque touch

toro bull

torres towers

tortilla Spanish omelet

trabajando working

trabajar to work

trabajo work, job

tragedia tragedy

traicionó betrayed

traje suit

tranquilas relax, relaxed

tras after

trasera back part

trasladado transferred

trastienda back room

(a) través de through

tren train

triángulo triangle

tribunales courts of law

triste sad

tristeza sadness

tropas troops

trozos shards, pieces

truco tricks

tu, tus your

tú you

turistas tourists

tuvo your

usted you (formal)

último last

único only

universidad university

universitarios university students

unos, unas some

usado used

usar to use

va he/she goes, is going

vacío empty

vale OK

valiente courageous

valiosos valuable

valla fence

valor courage

vámonos Let's go!

vamos we go, let's go

van they go

vas you go, are going

vaya Wow! or to go (subj.)

váyanse Go! (all of you)

(se) ve he/she sees, one sees

(a) veces sometimes, times

vecina neighbor

veía he/she saw

velas candles

velo veil

velocidad velocity

vemos we see

ven they see

venas veins

venda bandage

vendaje bandage, dressing

vender to sell

venga come on!

venía was coming

ventana window

veo I see

ver to see

verdad truth, right?

verdadero true

vestía was dressed

vestido dress

vete Go! (you)

vez (una) once

vi I saw

viaje trip

vida life

viejo old

viendo seeing

viene he/she comes

vieron they saw

vino he/she came

vio he/she saw

vista sight, gaze

visto seen

viuda widow

vivía lived

vivir to live

vivo alive

voces voices

volante flying

voló it flew

volver to return

volvió he/she returned

vosotras you (all, informal)

voy I'm going, I go

voz voice

vuelta (se dio la) turned around

y and

ya already, now

yo I

Soy yo...
Francisco José de
Goya y Lucientes.

AGRADECIMIENTOS

It took two years to write, edit and produce *Los ojos de Goya*. Along the way, I had the opportunity to work with many friends that helped make this book become a reality. The excellent conversations about culture, language, art and storytelling are what I will remember the most.

Thank you to my wife and two daughters for being my art and story consultants, and for giving me the time to write. Without your support and patience, this book never would have been possible. These three strong women in my life inspire me every day.

I owe an immense amount of gratitude to my lifelong friend Cito in Seville. The hours we spent discussing the characters, storyline and dialogue were not in vain. Without you, writing this book would not have been as much fun, and the final product would not have been as good.

Thank you to Lily Chan for bringing the ideas to life through her amazing art. A truly talented artist, her illustrations are bound to help readers of all levels engage with the story.

Thank you to my colleagues and friends that read the book, made suggestions and gave me valuable feedback. In particular, my gratitude goes out to Miriam Arias Sánchez, Amy Cooper, Lisa Hand, Khadijah Luqman, Josep Navas Masip, Diana Niemas, Dr. Ben Olshin and José Luis Reyes for their input and perspective as experienced language teachers and readers. Any remaining errors or limitations are due solely to myself.

Finally, I'd like to acknowledge my students that read various drafts of this book. Their excitement for the story and their keen, young adult analysis of the plot helped make this novel better for future generations of students.

EL EQUIPO

DREW FORLANO is a teacher and author living in Richmond, Virginia. Previously, Drew lived in Seville and Madrid for seven years, where he often explored both cities searching for the best jamón serrano and tapa de queso manchego. He was inspired to write *Los ojos de Goya* to help students become more proficient Spanish speakers and learn about the fascinating culture of Spain. You can find more of Drew's work at www.storyoso.com.

CONSTANCIO LOZANO BALLESTEROS, AKA Cito. Cito is a native of Seville and a fan of all things literary, artistic and delicious. He has a talent for writing punchy dialogue and recalling obscure trivia. Cito was the chief literary and cultural consultant for *Los ojos de Goya*, insuring that the true spirit of the characters and the essence of Spain shine through on every page.

LILY CHAN is a freelance illustrator based in Hawaii. She has a passion for bringing stories alive through digital art. Her favorite part of working on *Los ojos de Goya* was drawing fun scenes set in real places in Spain. When Lily is not creating art, she is learning Japanese and chatting with friends. Find more of Lily's work at www.instagram.com/lilybyteart/ and www.lilybyte787.wixsite.com/portfolio

STORYOSO PRESS
WWW.STORYOSO.COM

Benefits of reading Los ojos de Goya to learn Spanish

✓ Intermediate Spanish level to practice and build new language skills.

✓ Suspenseful storyline that engages and challenges readers to find out what happens next.

✓ Professional illustrations that make the story come alive and help with reading comprehension.

✓ Authentic culture that brings the best of Spanish art, history, food and iconic cities to the reader.

✓ Page footnotes and full glossary to make reading easier for Spanish language learners.

✓ Extended learning materials are available for teachers and students at www.storyoso.com

**Find student workbooks, teacher materials and
more activities at www.storyoso.com**

Printed in Great Britain
by Amazon

21412969R00146